DU PÂTÉ CHINOIS, DU BASEBALL ET AUTRES LIEUX COMMUNS

Des mêmes auteurs

Bernard Arcand et Serge Bouchard

Quinze lieux communs, Boréal, 1993.

De nouveaux lieux communs, Boréal, 1994.

Bernard Arcand

L'Image de l'Amérindien dans les manuels scolaires du Québec, Hurtubise HMH, 1979 (en collaboration avec Sylvie Vincent).

Le Jaguar et le Tamanoir : vers le degré zéro de la pornographie, Boréal, 1991.

Serge Bouchard

Le Moineau domestique : histoire de vivre, Guérin, 1991.

Bernard Arcand Serge Bouchard

DU PÂTÉ CHINOIS, DU BASEBALL ET AUTRES LIEUX COMMUNS

Boréal

COLLECTION PAPIERS COLLÉS

Les Éditions du Boréal sont inscrites au Programme de subvention globale du Conseil des Arts du Canada et reçoivent l'appui de la SODEC.

Conception graphique : Gianni Caccia
Photo de la couverture : Martine Doyon

© Les Éditions du Boréal
Dépôt légal : 4e trimestre 1995
Bibliothèque nationale du Québec

Diffusion au Canada : Dimedia
Diffusion et distribution en Europe : Les Éditions du Seuil

Données de catalogage avant publication (Canada)
Arcand, Bernard

Du pâté chinois, du baseball et autres lieux communs.

(Collection Papiers collés)

ISBN 2-89052-713-1

1. Québec (Province) – Mœurs et coutumes. 2. Québec (Province) – Conditions sociales. 3. Civilisation – 20e siècle. I. Bouchard, Serge, 1947- . II. Titre. III. Collection.

FC2918.A72 1995 306'.09714 C95-941103-8
F1052.A72 1995

AVANT-PROPOS

Ce troisième volume rassemble des textes d'abord diffusés par la Société Radio-Canada dans le cadre de l'émission Le Lieu commun, *réalisée par François Ismert. L'intention ambitieuse des auteurs n'a pas changé: convaincus que les choses les plus ordinaires sont infiniment complexes, alors que les interprétations compliquées du réel demeurent toujours trop simples, ils ne visent encore une fois à rien de moins qu'à rendre plus incertains et moins intelligibles quelques détails communs qui semblaient pourtant clairs et faciles, dans le but avoué de mieux les faire apprécier.*

Bernard Arcand et Serge Bouchard
Saint-Augustin et Pointe-aux-Trembles
mars 1995

I

LE PÂTÉ CHINOIS

BERNARD ARCAND

Le tout nouvel *Album Larousse des cuisines du monde* vient de mettre sur le marché un ensemble de recettes qui, comme son titre l'indique, proviennent d'un peu partout. Abordant le Canada français, cet ouvrage propose, parmi les plats nationaux, une recette du «pudding de cochon». La suggestion pourrait paraître prometteuse n'était le fait que personne au Canada français ne semble connaître un tel «pudding de cochon». En examinant de plus près les ingrédients et leur mode d'emploi, on découvre qu'il s'agit d'une préparation qui serait à placer quelque part entre le plat de foie de porc et les cretons classiques. Mais personne ici ne reconnaîtrait ce mets que pourtant les Français tiennent pour notre plat national.

De la même manière, il serait tout à fait étonnant de trouver à Shanghai, Taipei ou même à Macao, un plat qui ressemblerait, de près ou de loin, au pâté chinois. En dépit du fait que les pommes de terre pilées se laisseraient facilement manger avec des baguettes, il n'existe aucune version cantonnaise de ce pâté, dont l'appellation demeure évidemment une pure fabulation sans fondement. Même si l'on en offrait régulièrement aux travailleurs chinois qui construisirent le rail canadien, mieux vaut ne pas parier sur cette origine, et dire simplement que la gastronomie a toujours été un haut lieu de la créativité et un domaine où la plupart des gens se permettent de dire vraiment n'importe quoi. Donc, il serait permis d'imaginer une cuisinière astucieuse ou un chef informé déclarant un beau matin que la disposition du maïs jaune entre la viande et les patates lui rappelle l'empire du Milieu. Ce serait déjà mieux que le «Pudding de cochon».

SERGE BOUCHARD

Voyons d'abord la viande hachée. Celle-ci n'existe que dans les sociétés qui savent comment passer du remarquable au banal et du banal au remarquable sans en faire tout un plat. Sauter de la pièce au haché démontre un grand souci de la routine. La viande hachée est une viande passe-partout, c'est l'enveloppe culinaire dont la ligne hachurée permet toutes les associations. Bref, la viande hachée, c'est la «viande à tout le monde», une viande populaire, la démocratie à table, et c'est à cause d'elle qu'il nous est désormais permis d'assister quotidiennement à la cérémonie de la multiplication des pains, des pains hamburgers bien entendu.

La viande hachée appartient donc à l'infini de l'ordinaire. C'est dans cet univers routinier qu'il faut chercher notre profonde vérité, car c'est dans le banal que loge le remarquable. Il faut se rappeler que dans la vie de Christophe Colomb, il y eut surtout des intervalles. Et Christophe Colomb eût sûrement apprécié le pâté chinois, pour le pâté et pour la Chine.

Ainsi, le pâté chinois pose le problème du temps. Et ce problème, il le pose à travers chacune de ses composantes. Celui qui ne digère pas le passage du temps ne mange pas de pâté chinois. Celui qui cafouille dans sa relation à l'ordinaire ne mange pas de pâté chinois. Cette pâtée vulgaire n'est pas pour moi, dit-il en relevant le nez. Nous savons tous que c'est dans la cuisine que le snob devient snobissime. Toutefois, la réalité du temps se charge de lui rabattre le caquet. Car plus tu cultives tes papilles gustatives et ta psyché culinaire, plus tu t'exposes à la famine de l'âme.

Dès lors, la première composante du pâté chinois, la viande hachée, est en réalité une viande à saveur politique. Viande hachée et révolution sont deux mots qui vont bien ensemble. Je m'en veux d'introduire ici une digression semblable, mais force est de convenir que le hamburger est impossible et inconcevable si l'on ne prévoit pas un approvisionnement fiable et régulier, bref, des montagnes de viande hachée. Or, chaque fois qu'un être humain mange un hamburger, il fait un bras d'honneur aux aristocrates. Souvenons-nous que les arts de la table se sont développés en synchronie parfaite avec les famines populaires.

Somme toute, la viande hachée tient sa richesse de sa neutralité. C'est la vraie viande du citoyen du monde. On peut hacher le veau, le bœuf ou le chameau, le yak, le chien ou l'agneau, tout cela à la fin se ressemble. Chaque religion peut s'adapter depuis qu'à l'origine la boulette a été banalisée.

Ce n'est pas par la quétainerie de son logo que McDonald's s'est implanté dans le monde entier. Le monde n'est pas fou. Derrière le gros M de Mickey Mouse se cache en effet l'attrait irrésistible d'un bon quart de livre de viande hachée.

...

Le pâté chinois pose ensuite le problème de la patate pilée, la purée des purées. Cette grande trouvaille culinaire fut d'autant plus sous-estimée qu'elle avait pour origine la petite cuisine de la petite histoire. Dans les petits fourneaux de la vie quotidienne, le génie humain progresse à très petits pas. C'est qu'il est difficile d'avoir du génie et de la créativité durant les mercredis de novembre, quand il faut faire le souper.

Réunir la viande hachée et la purée de patates fut un grand et beau coup. L'Europe n'a su faire mieux : l'invention du hachis Parmentier. C'est en Amérique que le pâté chinois, finalement, allait prendre son essor. Car le pâté chinois est l'aboutissement logique de cette cuisine solide, nourrissante, cuisine de l'intervalle qui nous permet de durer.

Déjà, le hachis Parmentier, viande hachée et patate pilée, constituait un repas solide. Dans nos assiettes, avant de tout manger, chacun des enfants que nous étions sculptait avec sa fourchette des châteaux et des cathédrales, des montagnes et des routes, des rêves en purée que nous ne tardions pas à dévorer.

Mais la clé du pâté chinois se trouve dans le blé d'Inde. Et encore, nous parlons bel et bien de maïs sucré, de maïs à la crème. Céréale méprisée, pour les raisons incompréhensibles d'une culture culinaire douteuse, le maïs fut et demeure la marque alimentaire d'une Amérique profonde, temps et espace confondus. C'est le maïs des Indiens, l'ordinaire du métis, le plat du voyageur, du coureur des bois, de l'ouvrier. Il y a donc beaucoup à dire sur la valeur historique du pâté chinois. Car, dans toute son humilité, le pâté chinois et, partant, le blé d'Inde, pourraient revendiquer le titre de plat international et culturel, d'assiette fondamentale sans laquelle l'Amérique ne serait pas ce qu'elle est.

Le blé d'Inde n'est pas du maïs à vaches. Chacun s'en est nourri parmi ceux qui ont fait ce pays. Aux Européens gelés et démunis, incompétents et désarmés, les anciens Indiens ont donné la recette : de la viande séchée, hachée, fumée, mélangée à du maïs sucré, et voilà le repas complet, le biscuit, la galette, le truc nourrissant qu'on peut emporter le long de ses interminables courses et de ses indéfinissables trajets. Réserves de protéines qui renforçaient les bras et les jambes de ceux qui ravaudaient à l'aventure d'un continent grand comme le monde.

Voilà donc la synthèse culturelle par excellence. L'Europe a mis un temps considérable avant de mettre au point le hachis Parmentier. Il lui fallait digérer et la patate et le bœuf haché. La découverte de l'Amérique allait ouvrir encore plus de voies et repousser plus loin les frontières de la géographie culinaire. Car tandis que l'Europe concoctait sa recette populaire, ici, en Amérique, on mariait le *pemmican* (maïs et viande) au hachis des vieux pays. Cela donne le pâté chinois moderne. À ce titre, au chapitre des fourneaux traditionnels, le pâté chinois devrait être classé, homologué, protégé par le ministère des Affaires culturelles.

BERNARD ARCAND

Parmi les stéréotypes les plus durables de l'Occident chrétien, il faut compter celui qui décrit l'Amérique du Nord comme une terre d'immigration et de mélange, un continent entier sans véritables traditions, où rien n'est fait pour durer et où les modes les plus incohérentes se succèdent dans un apparent chaos qui ne respecte aucune ligne directrice ni projet d'avenir. Souvent, à cette Amérique désordonnée, on oppose l'histoire européenne ou les civilisations millénaires de l'Asie et de l'Afrique. On dira ainsi que, ailleurs, les sociétés se maintiennent davantage dans le respect de leurs principales trajectoires, que leurs idées les plus fortes traversent, inchangées, les tumultes de l'histoire et que la vie, en somme, s'y trouve encadrée par une culture générale qui crée une atmosphère de cohérence, laquelle paraît rassurante puisqu'elle rend la vie beaucoup plus prévisible et donc confortable. On ne retrouverait, dit-on, rien d'aussi solide, stable ou certain en terre d'Amérique.

Or, c'est justement cette vision simpliste de l'Amérique que le pâté chinois vient contredire.

Premièrement, le pâté chinois consiste en un mode d'accommodation des restes de la table d'hier. On sait combien une société se dévoile et se révèle dans ses façons de traiter et d'utiliser les restes et que partout se pose la même question universelle : réussir à faire du neuf avec du vieux. Or, dans plusieurs cuisines à travers le monde, les restes sont simplement mis dans un pot qui ira sur le feu : on mélange, on assaisonne et on prépare des bouillis, des hachis, des bouillabaisses et comme il ne reste jamais assez d'un seul ingrédient, on choisit de tout mélanger, et tout aura bon goût. Ailleurs, d'autres empilent les restes dans un sandwich ou sur une pâte à pizza. Il existe bien des exemples témoignant d'autres préférences gastronomiques locales mais, en général, l'ethnographie comparée ne peut que constater une tendance quasi universelle à l'intégration libre et désordonnée de toutes sortes d'aliments disparates.

Pas en Amérique, toutefois, et surtout pas dans le pâté chinois. Car, lui, il est en ordre, et même dans un ordre fort minutieux. L'Amérique reçoit et utilise des aliments divers, mais elle les place instantanément en rangs. Avec de vieux restes, l'Amérique fabrique du neuf en étages : le pâté sera sec, net et précis. Sa rigueur paraît incontestable et présente tout le contraire de l'empilage sur une pâte ou du laisser-aller dans la grande marmite.

Pour les incrédules qui prétendraient encore maintenir que l'Amérique est une terre de désordre, voici un autre exemple : le village de Deschambault, dans le comté de Portneuf, a organisé il y a quelques années un festival du pâté chinois. Alors que d'autres tenaient leur festival western, leur festival de jazz, du rire, du cochon, de la crevette, du film ou leur festival d'été, Deschambault choisissait de se doter d'un festival du pâté chinois. Avant de sauter à la conclusion facile qu'il s'agissait là d'une folie démentielle typique de cette partie du monde, il faut savoir que Deschambault a depuis longtemps une tradition de boucherie familiale et que, géographiquement, la boucherie de Deschambault est située assez exactement à mi-distance du village de Saint-Ubald, bien connu pour sa production de pommes de terre, et, de l'autre côté, du village de Neuville, célèbre pour son maïs. En réunissant ainsi le bœuf du village aux patates et au blé d'Inde des villages voisins, Deschambault reproduisait en les respectant les règles fondamentales de la mise en ordre de l'économie et de l'écologie régionales. Le village fêtait, bien au-delà du pâté chinois, sa place très précise dans l'ordre cosmique du monde. Les historiens diront qu'en comparaison, le choix des sites du Vatican et du Taj Mahāl semblent résulter de quelques grossiers accidents d'une histoire chaotique et incertaine. Dans l'ordre de la rigueur et de la précision, le pâté chinois de Deschambault n'a d'équivalent qu'à Stonehenge.

Serge Bouchard

Pâté chinois, pourquoi chinois ? Je n'en sais rien mais je suppose. Ce n'est pas une chinoiserie. Je crois plutôt que nous devrions regarder du côté du blé d'Inde, mais de celui d'une Amérique dont on a longtemps cru qu'elle était une partie de la Chine. Jacques Cartier croyait bien déboucher sur la Chine en accostant à Montréal. Il croyait dur comme fer apercevoir la mer de Chine de l'autre côté du mont Royal. Ainsi, la Chine ayant obsédé Colomb, Cartier, Verrazano, Caboto, Corte Real, voire Vespucci, il n'est pas surprenant que ce mets traditionnel américain porte aujourd'hui le nom de ces rêves brisés. Les Indiens ne sont pas des Indiens, le pâté chinois n'est pas chinois. Nous sommes donc en passe de tout revoir, de tout refaire, de tout rebaptiser ; il est vrai que ce pâté pourrait s'appeler le beau gâchis américain.

SERGE BOUCHARD

Le pâté chinois est meilleur lorsqu'il est réchauffé. C'est le reste idéal, surtout le reste de ceux qui restent et qui tiennent le fort de la quotidienneté. Les plats qui sont meilleurs réchauffés sont en réalité des plats extraordinaires. Stockés dans le réfrigérateur durant une ou deux journées, ils arrivent à maturité. Bouillabaisse, cassoulet, fricassée, macédoine, couscous, pot-au-feu, bouilli, ragoût, pâté, le pâté chinois s'inscrit dans la grande tradition culinaire des foyers en bonne santé : tout est dans la même assiette, la viande et les légumes, c'est-à-dire l'entrée, le plat principal ainsi que le dessert. Et réussir à servir ce qu'on appelle un vrai bon pâté chinois n'est pas chose facile. À l'occasion d'un grand congrès de chefs à Lyon, Paul Bocuse déclarait récemment que ces plats simples qui constituent des repas complets restaient pour lui la plus grande des cuisines.

BERNARD ARCAND

Si Claude Lévi-Strauss, membre de l'Académie française et père légitime de l'anthropologie structurale, mangeait un jour du pâté chinois, voici à peu près ce qu'il en dirait : «Partout en terre d'Amérique, les animaux sont très généralement reconnus comme supérieurs aux végétaux. Parmi les populations amérindiennes, de l'Alaska jusqu'à la Terre de Feu, l'unanimité s'est faite pour considérer les animaux comme des êtres mobiles occupant tous les espaces qui leur semblent bons et qui, souvent, ne se gênent pas pour brouter ou même piétiner les herbes, les fleurs et les arbustes. Les animaux dominent la nature et, dans le monde des mammifères, le bœuf, et avant lui son cousin le bison, ont toujours compté parmi les plus imposants.

«Au sein du règne végétal, par ailleurs, et dans le vaste éventail de toutes les verdures, le maïs a partout acquis statut de plante grandiose : sa grande taille comme son épi majestueux conviennent admirablement à la valeur et à l'importance de sa contribution tant nutritive que symbolique. Cela a toujours fait du maïs le produit agricole vedette d'une très grande partie de l'Amérique du Nord. Mais nous savons aussi que le maïs demeure néanmoins végétal, et que les éleveurs le donnent souvent en pâture à leurs animaux.

«Quant à la pomme de terre, tubercule sans relief et tellement ordinaire, elle a toujours gardé l'humilité profonde des légumes poussant sous terre et a souvent été traitée comme une nourriture très commune; la patate peut parfois être abondante, et elle nourrit quotidiennement bien du monde, mais sans vraiment en retirer beaucoup de prestige. On parle finalement assez peu d'elle : rares sont les cultes de la patate, à laquelle les sociétés amérindiennes n'attribuent presque jamais de pouvoirs magiques ni de vertus miraculeuses.

«Donc, dans cette vaste hiérarchie des choses de la vie, il semblerait normal que le bœuf soit placé au sommet, suivi du maïs et, enfin, de la pomme de terre.

«Or, dans le pâté chinois, c'est justement cet ordre qui est inversé. Dans un pâté chinois, la viande hachée est d'abord placée au fond, puis elle est tapissée de grains de maïs et le tout est ensuite recouvert, au sommet, par des patates en purée. Ainsi construit, le pâté chinois offre donc le modèle d'une inversion de la vie normale et bien ordonnée. Ce qui pourrait sembler tout à fait pertinent, sinon même prévisible, puisqu'il s'agit là d'une astuce de cuisine, c'est-à-dire d'une transformation du cru en cuit; et tout le monde sait maintenant que la cuisine est une façon de transformer la nature, qui aboutit parfois à la production de son contraire. Cependant, on trouve davantage dans le pâté chinois, car il nous offre l'image de la vie qui n'est plus : les patates sont pilées, le maïs est égrené et la viande est hachée. Le pâté chinois offre une image de la mort et un aperçu de cet au-delà paradisiaque où les premiers seront les derniers. Il constitue donc un acte de grande humilité et le rappel d'une certaine sagesse face à l'inexorable. » Fin de la citation imaginaire. Pas surprenant que le pâté chinois soit si déprimant.

SERGE BOUCHARD

Où l'on voit que sous des apparences bien ordinaires se cachent les choses les plus extraordinaires. Le pâté chinois nous enseigne que le monde se divise en parties. Il y a des cases, des lieux, des espèces.

Il y a des gens à viande et ceux-là font un pâté chinois « viandeux ». Ce sont des carnivores. Il y a des gens à patates, et ceux-là font une épaisse couche de purée. Ce sont des herbivores. Finalement, et ils sont plus rares, il y a le groupe du blé d'Inde, inclassable mais sucré. Sans parler de ceux qui n'aiment pas le pâté chinois et qui considèrent comme un déshonneur le fait d'en manger.

Finalement, il y a les aventuriers et les expérimentateurs. Ces derniers modifient la recette, se lancent dans le gratin et le gratiné, ils ajoutent des carottes et je ne sais quoi d'autre. Ils courent de bien grands risques lorsque l'on considère que le pâté chinois est un plat conservateur qui souffre mal l'innovation. On ne change pas la tradition sans coup férir. Ils ne sont jamais très bons, les pâtés trafiqués.

BERNARD ARCAND

On entend parfois des gens glorifier le doux plaisir de retomber en enfance. La pratique d'un sport, une fête d'enfants, un plat particulier, une photographie, un air oublié, un souvenir, n'importe quoi sert de prétexte à rappeler les beaux temps de la jeunesse. Le pâté chinois, par contre, appartient à ces détails qui font que l'on se réjouit d'être devenu adulte. Il mérite une place au sein de cette grande classe des choses haïes qui, pour plusieurs, comprend aussi le gruau, les tresses de cheveux trop tirées, l'huile de ricin, les cols empesés et les rognons aux tomates. On dirait que le pâté chinois est à rattacher à ces souvenirs que jamais plus nous ne voudrions revivre, parce que nous sommes convaincus d'en avoir tellement souffert durant notre enfance. Il fait partie de ces choses d'autrefois que l'on mentionne parfois en souriant, avec une nostalgie certaine, mais que l'on ne referait plus sous aucun prétexte.

C'est pourquoi le pâté chinois joue dans certaines vies un rôle aussi louable qu'essentiel. Il nous permet le repérage précis du chemin parcouru. Car sans toujours connaître exactement qui nous sommes, au moins pouvons-nous être rassurés en sachant que l'on est maintenant devenu quelqu'un qui ne mange plus de pâté chinois. Nous avons passé l'âge. Par surcroît, puisqu'il s'agit d'un mets de pauvres, d'incultes et de barbares en gastronomie, il peut nous rappeler le milieu social et culturel auquel nous avons réussi à échapper. Chez Serge Bruyère ou à la table des frères Trois-Gros, on sert rarement du pâté chinois.

Nous touchons là ce qui constitue peut-être l'une des façons les plus courantes ici de souligner le degré zéro de la réussite sociale : on peut soit se sentir bien en sachant que l'on a au moins réussi à dépasser le stade du pâté chinois, soit au contraire se montrer snob en déclarant son amour et son attachement au pâté chinois que l'on déguste arrosé d'un bon graves ou d'un excellent médoc. Le pâté chinois constitue donc un phare plutôt qu'une bouée de sauvetage, il nous fournit un éclairage lucide sur nos liens avec le passé et notre position actuelle dans la société. Dans l'échelle sociale, au-delà d'un certain degré, les gens, comme le pâté, deviennent, vers le haut, de plus en plus gratinés, tandis que vers le bas, ils se complaisent dans le ketchup.

II

LA PLANTE VERTE

SERGE BOUCHARD

L'autre nuit, je suis entré dans un état prémonitoire dont l'acuité ne peut que certifier le destin qui me guette. À la mort de mon vivant, mon esprit a déjà son idée quant à la direction qu'il entend prendre afin de se reloger, idée qui m'enrage et pour laquelle je lui en veux immensément. Cet esprit-là est dérangé. Songez qu'il s'apprête à devenir une plante verte dans une salle de réunion, au soixantième étage d'une tour hermétique, symbole d'une importante organisation. Là, je serai un être lisse et plastiqué, une végétation intérieure et moderne placée à demeure dans le coin d'un salon où toutes les conversations tourneront autour de l'univers de la gestion. Tous les mardis, je verrai entrer les cadres maigres et nerveux, je les entendrai échanger quelques blagues aussi bien acceptées que retenues, puis je les observerai dans leur façon de s'asseoir cérémonieusement autour d'une table plus froide que la surface d'un cercueil usagé. Mois après mois, je verrai passer et repasser les mêmes dossiers, j'apprendrai les tics langagiers de tous ceux qui s'exercent à parler sans jamais rien dire qui risquerait d'avoir un sens particulier. Une firme spécialisée viendra régulièrement m'arroser et m'asperger, me nourrir et me saupoudrer, m'entretenant de force, m'élaguant afin que je respecte de ma raison la symétrie, me minouchant quelques secondes et me faisant grandir, en un mot, m'empêchant de mourir. Car il faut qu'elle soit belle, la plante verte et supérieure du comité de gestion, plante informée et haut gradée, même si personne ne la regarde, même si personne ne s'apercoit jusqu'à quel point elle s'entortille aux cercles vicieux des discussions qui l'empoisonnent.

Traité de la sorte, sans insectes pour me bouffer, sans oiseaux pour me chier dessus, sans bourrasques pour me faire plier, sans froid insupportable pour me faire craquer, sans amoureux pour me graver un cœur dessus, sans menace réelle pour me justifier, je risque de végéter éternellement. Oublié dans un recoin aseptique, coincé entre des fauteuils ergonomiques, style corporatif, couleur bureaucratique, respirant un air dont on n'a de cesse de vérifier la teneur en poussière et la qualité, réalisant discrètement ma photosynthèse à même les rayons fluorescents qui, en ces altitudes, font figure de soleil bleuté, même la nuit à la clarté, je serais foutu de prendre mauvaisement racine.

Car pour mettre fin à mes jours de plante verte affectée aux intérieurs de la haute direction, il faudrait justement une décision du comité de gestion. Et celle-là, je le sais, il serait fou de l'attendre quand on pense qu'au sein de ces organisations il est des plantes, mortes depuis longtemps, que l'on continue d'arroser pourtant. Avant qu'une telle décision ne se prenne en ce qui me concerne, j'aurai le temps de pousser mes racines jusqu'à percer les parois du pot de plastique qui me sert de pied, de jardin, et parfois même de cendrier, atteignant de la sorte le tapis gris et commercial, allant jusqu'à le trouer, m'enracinant cette fois dans le béton qui, en ces lieux, garnit le plancher autant que le plafond. J'aurai donc le temps, finalement, de faire corps avec la bâtisse avant que les cadres n'abordent mon dossier, mis à l'ordre du jour, en ayant le courage de me mettre à la porte ne serait-ce que sous prétexte que j'ai la feuille triste et la tige un peu molle, en ayant le courage de prendre la grande décision de me remplacer par une plus jeune végétation qui aurait, sinon le cœur, du moins la graine d'une vocation.

BERNARD ARCAND

Je me souviens d'une petite maison dans les tropiques. On pourrait dire qu'elle est en banlieue de Cravo Norte, si seulement Cravo Norte avait une banlieue. La maison est située sur les bords d'une petite rivière et dans un espace assez restreint créé par un coin de forêt tropicale qui a été rasé pour lui faire un peu de place. Ses murs sont en glaise et son toit est fait de feuilles de palmier. Il n'y a ni porte ni plancher, seulement le sol qui a été longtemps piétiné. Très peu de meubles : quelques hamacs pour les parents et leurs trois enfants, une cruche d'eau et un feu de bois, une table et quelques chaises. Mais sur cette table, au centre de la maison, se trouve un modeste pot de verre contenant un tout petit bouquet de fleurs artificielles. Au cœur de la forêt tropicale, là où règnent la verdure perpétuelle, des millions d'espèces végétales, des fleurs de tous genres et des orchidées de toutes les couleurs, au milieu de ce festival naturel et de ce jardin de plantes luxuriantes, des gens ont eu l'idée toute simple de décorer leur maison d'un petit bouquet de fleurs en plastique. Jamais bouquet n'aura été mieux placé que dans cette lointaine maison. Après avoir enfin vaincu la forêt et modelé la terre pour s'en faire un abri, il n'y a pas meilleure satisfaction que la signature arrogante de l'exploit qui vient proclamer à la face du monde notre capacité à fabriquer des fleurs en plastique.

Loin des tropiques, au dix-neuvième étage d'un édifice

en béton, au cœur d'un bureau d'architectes, tout près de la table où l'on s'affaire à dessiner avec crayons et papier des espaces d'habitation, on peut souvent trouver une plante verte. Comme un clin d'œil de la forêt tropicale. La plante sert de rappel aux bâtisseurs qui n'ont plus aucun doute sur leur capacité à dominer le monde, mais qui aimeraient toutefois préserver quelques liens avec la nature. Dans les deux cas, à Cravo Norte comme à la ville, la plante, verte ou colorée, est assurément à la bonne place.

SERGE BOUCHARD

Les cactus sont des plantes sans cœur et sans âge. Sur un coin de ma table de travail, côté fenêtre, perdu au milieu d'un amoncellement de papiers aussi importants qu'oubliés, végète depuis longtemps un cactus immortel. Oui, il est bien là depuis des temps immémoriaux et rien ne laisse penser qu'il s'apprête à mourir.

Sa croissance est lente au point d'être imperceptible, un centimètre tous les dix ans. Je possède un cactus âgé de deux cents ans. Où poussait-il avant ? Dans le salon d'une vieille tante, d'une vieille grand-maman ? Nul ne le sait. Comme il est sur ma table depuis vingt-cinq ans, nous avons tout oublié de sa provenance et de ses origines.

Car le cactus finit par faire partie des meubles. Lorsque nous déménageons, le cactus part avec la chaise berçante, s'en va refaire carrière sur le coin d'une autre commode, dans un nouveau foyer, sans même avoir à se déraciner. Plus le pot est vieux, plus la terre se transforme en pierre, plus le cactus est heureux. Même la poussière s'éloigne de lui, car la poussière préfère ne pas s'y frotter. On ne caresse pas un cactus. Il ne se laisse pas caresser.

Or le cactus est tout à fait approprié à nos intérieurs, qui sont des déserts inhospitaliers. Il se sent bien dans nos maisons, car nos maisons sont souvent les plus profonds déserts qui se puissent trouver.

Si, de toutes les plantes vertes, je préfère le cactus, c'est que moi-même je n'aime pas la visite. Et ces nombreux cactus sont un reflet de mon caractère désagréable. Dans ma maison, je me retire, je vis à l'écart, je jeûne et je médite. Quarante jours dans mon salon et j'en ressors prophète.

Dans les maisons chaudes où la vie est joyeuse et diverse, le cactus dépérit. Il est allergique aux rires, aux discussions animées, à la chaleur humaine.

Pis encore. Lorsque les policiers défoncent la porte d'un appartement où un solitaire est mort dans le silence depuis un bon bout de temps, ils constatent, en se bouchant le nez, que toutes les plantes vertes sont mortes et desséchées, faute de soins et d'eau. Mais dans cette maison puante et grandement maudite, seul le cactus a survécu au passage du malheur. La tristesse ne l'abîme en rien. Le cactus, plante de nos intérieurs, est parfaitement adapté aux déserts qui nous durcissent le cœur.

BERNARD ARCAND

Tout porte à croire que nous n'apprécions pas suffisamment les efforts remarquables que nos ancêtres ont dû déployer dans le seul but de créer des lieux d'habitation propres et salubres, des refuges où nous pourrions enfin vivre en paix, débarrassés des saletés de la nature. Imaginez les heures de recherche consacrées à l'invention du premier balai, et puis toutes les courbatures souffertes après tant d'heures passées à arracher les mauvaises herbes sur le sol d'une caverne humide et propice à la végétation. Imaginez en outre la joie et la fierté de pouvoir enfin habiter un endroit parfaitement dégagé, une résidence digne de nous et qui nous serait réservée, le seul lieu où ne seraient plus tolérés ni végétaux ni animaux, lesquels d'ailleurs, devenus trop peureux, n'y viendraient même plus, par crainte d'y recevoir un douloureux coup de pied. Enfin, un espace totalement humain, un chez-nous où la terre serait balayée et où il n'y aurait plus d'herbe maudite : dehors, la sauvagerie de la jungle, de la forêt et de ses innombrables plantes vertes.

Dans des temps moins anciens, nos ancêtres moins lointains admiraient sans doute les fleurs et se fabriquaient à l'occasion des couronnes de laurier, c'est connu, mais personne n'avait prévu de place pour les plantes vertes au milieu du Parthénon, dans le Colisée, dans les arènes de Vérone ou dans la nef des cathédrales. Bien que les jardins de plantes soient des institutions fort anciennes et que les empereurs, parmi leurs butins de guerre, aient toujours apprécié les plantes de l'ennemi qui pouvaient s'avérer comestibles ou qui promettaient quelque vertu médicinale, sinon le secret d'une potion magique, et même s'il arrivait aussi que des gens décorent les maisons et les édifices avec des fleurs ou de la verdure et que c'est à l'étalage des plantes qu'étaient souvent consacrés les rebords de fenêtres et les balcons de la Méditerranée, tous ces usages respectaient tout de même l'ordre de la culture ; à toutes les époques, il aurait paru saugrenu de vouloir faire pousser des végétaux à l'intérieur. À Babylone, personne n'avait l'idée de coucher suspendu dans le jardin.

Il aura donc fallu attendre les modernes pour voir cette idée devenir soudain populaire et pour assister au début d'un mouvement qui inverse très exactement le long processus suivi par tous nos prédécesseurs. L'amour des plantes vertes est tout à fait récent puisque, après l'engouement passager du XIXe siècle pour les fougères et les orchidées, ce n'est qu'à la fin de ce qu'on appelle la Seconde Guerre mondiale que les plantes commencent à envahir l'univers de la décoration intérieure.

On doit cependant comprendre que tout cela ne fait que commencer et que le mouvement n'en est qu'à ses balbutiements : dans le monde que l'on connaît, on ne rencontre encore que quelques modestes pots de plantes vertes, ici et là, dans la maison ou au bureau. Nous en sommes à peine à quelques kilos de bonne terre noire par appartement et à des arrosages manuels qui très bientôt sembleront étonnamment primitifs. Au cours des années prochaines et dans les siècles à venir, face à un univers d'étalement urbain sans limites, quand le pavé aura couvert plus de terrain et que l'air se fera rare, nous ferons honneur aux efforts et à la détermination de nos ancêtres et nous connaîtrons, nous aussi, les mêmes maux de dos, mais en enlevant nos tapis pour les remplacer par de la tourbe, en plantant mur à mur de nouvelles sources de fraîcheur et d'oxygène. Dès lors, les enfants n'auront plus à sortir pour jouer dans la boue et l'on mangera les fruits qui auront poussé tout bonnement dans la cuisine. Toutefois, afin que cette démarche ait un sens, afin que le renversement prenne en fait tout son sens, il faudra attendre encore quelques années, le temps nécessaire pour mener à terme la consommation définitive de toute la jungle.

SERGE BOUCHARD

La plante verte est synonyme d'enfermement. Nous recréons à l'intérieur ce que nous n'allons plus chercher à l'extérieur. Songez à l'univers des sœurs, aux salons de ces couvents où prospéraient les fougères. Pour bien soigner ses plantes, il faut avoir la main, c'est-à-dire le penchant. Il faut être de la maison, dans la maison.

La plante d'intérieur pousse en effet dans le pot du repli sur soi. L'univers se miniaturise et s'encabane. Les plantes vertes sont la végétation de nos nombrils.

Je dirai donc comme les Japonais : abattons tous les

séquoias de la Terre afin de financer la pousse des bonsaïs. Rentrons les arbres dans nos salons. Serons-nous capables un jour de faire tenir la taïga dans un pot de brique, au point où la coupe d'un seul sapin nous donnera un seul cure-dent?

Voilà la magie de la miniature, qui est mini-nature. Qui n'a pas compris que la destruction générale de la nature grandeur nature avait pour but ultime le remplacement de celle-ci par une autre, bien plus commode? Dompter la nature et se l'approprier, c'est l'entrer chez soi. Et la plus belle domestication consiste, bien sûr, à ne plus jamais sortir.

BERNARD ARCAND

Les Semang, qui habitent la presqu'île de Malaka, dans ce pays que nous nommons la Malaisie, prétendent que les âmes humaines résident dans les végétaux. Ces gens disent que les âmes se tiennent spécifiquement dans les arbres, dont elles ne sortent que pour aller donner vie à un nouvel enfant dans le ventre d'une femme.

À des milliers de kilomètres de la Malaisie, on nous enseignait, il n'y a pas si longtemps, qu'il était salutaire de parler à ses plantes vertes. On recommandait de leur adresser la parole le matin, ou en revenant du bureau, et de ne jamais oublier de leur dire bonsoir.

Autrefois, la maison était pleine de vieux et de bébés, de brus, de gendres, d'orphelins, de bonnes, d'hommes à tout faire et parfois même de quêteux. Aujourd'hui, dans un appartement solitaire, quand il est interdit de posséder un animal domestique (ou si vous avez à cœur de ne pas laisser un chien enfermé seul toute la journée), la plante verte aura le grand mérite de vous mettre en contact avec le vivant. Il s'agit évidemment d'un vivant minimal, élémentaire car, malgré tous les arrosages et les boutures, toutes les transplantations et les fertilisations, les plantes ne bougent pas beaucoup et leur conversation a de quoi laisser bouche bée. Un Harpagon pourrait en prendre soin. Néanmoins, la plante verte demeure à ce jour le meilleur compagnon minimal, même si certains pensent avoir trouvé mieux et veulent la remplacer par le cristal. Sans entrer dans cette querelle épique, il nous faut reconnaître le besoin de parler, car le silence est lourd et trop difficile, et donc pourquoi ne pas parler à ses plantes ? Comme le disent la plupart des spécialistes de l'âme humaine, psychologues, psychiatres ou psychanalystes, il serait sain qu'en décrochant du travail et en rentrant à la maison, l'être humain puisse exprimer ses inquiétudes intimes et ses soucis privés. Selon ces experts de l'équilibre et de la normalité, l'occasion d'exprimer ses états d'âme serait une condition essentielle du bien-être. Il serait donc salutaire de raconter à ses plantes une enfance difficile, combien vos parents vous comprenaient de travers, ou ce jour inoubliable où vous avez été rudoyé par un petit camarade de classe. Bref, les plantes vertes nous font du bien, elles nous remettent de bonne humeur, et elles servent à nourrir l'âme humaine. C'est très exactement ce que disent les Semang de Malaisie.

SERGE BOUCHARD

La fleur en plastique a été condamnée trop vite au tribunal de l'intérieur. Où sont passés les cocotiers et les singes qui ornaient les salons de nos tantes, dans les années cinquante ? S'il fallait que ces débris se fossilisent dans les tréfonds de quelque dépotoir, les paléobotanistes du futur feraient remonter les tropiques jusqu'à Malartic. Et les ancêtres des humains, singes à queue prenante et surprenante, auraient évolué dans la région du Saguenay. Et la science de s'interroger : descendait-il de l'arbre, le singe, ou était-il en train d'y remonter ?

BERNARD ARCAND

Le trafic international des plantes sera probablement très bientôt interdit, au même titre que la traite des esclaves noirs ou des Blanches. Car on prendra conscience sous peu que la quasi-totalité des plantes vertes qui meublent nos espaces et qui font notre bonheur ont été transportées ici de l'étranger, et le plus souvent contre leur volonté.

La plupart de nos plantes les plus vertes et les plus communes proviennent de la Chine ou du Japon, des Amériques centrale et méridionale, de l'Australie, de l'Asie ou de la Polynésie. Du fuchsia au philodendron, de l'eucalyptus à l'azalée, des plantes suspendues jusqu'au mimosa ordinaire, toute cette verdure nous vient de l'étranger. Avez-vous déjà songé que cette plante verte que vous avez placée sur la même tablette que votre tourne-disque provient du Guatemala et est peut-être extrêmement fatiguée d'entendre des chansons en langue étrangère ? Est-il pensable, selon vous, que toutes ces plantes tropicales qui ont été déracinées de leur milieu souffrent chez nous de dépaysement radical ? Une plante verte s'ennuie-t-elle de ses sœurs laissées pour compte dans la forêt tropicale ? Une verdure habituée à être foulée par le pied nu d'un Yanomamö est-elle surprise ou troublée de se retrouver soudain dans les bureaux de Bell Canada ? Connaissez-vous une seule plante verte qui ait déjà réclamé le statut de réfugiée ?

Pourquoi, aujourd'hui, demeurons-nous encore tellement fascinés par les plantes exotiques ? Sommes-nous les victimes insensibles d'une noble tradition de curiosité botanique ? Si c'est le cas, il faudrait vite apprendre à nommer toutes ces plantes vertes qui envahissent nos espaces domestiques. Et si nous prétendons plutôt que ces plantes servent à nous réjouir en produisant des fleurs qui nous rassurent en plein hiver, il faudra y regarder de plus près et admettre que, en fait, la majorité de ces plantes ne sont que parfaitement vertes et lisses, et qu'elles ne fleurissent jamais. Et puis, il faudra un jour se rendre compte que nous avons longtemps été terriblement inconscients et cruels envers ces plantes déracinées d'ailleurs, bien sûr, mais aussi envers nos propres plantes vertes indigènes, chicorée, fougère, verge d'or et panais sauvage qui poussent ici un peu partout, dans nos cours et le long de nos autoroutes, et qui ne demanderaient certainement pas mieux que d'éviter l'hiver. Qu'est-ce qui nous retient de déclarer plante verte l'épervière orangée ou la prunelle vulgaire ? Pourquoi ne pas entrer chez soi à l'automne des gerbes de foin et maintenir en vie tout l'hiver des bacs de trèfle ? On dirait presque que nous méprisons nos plantes vertes. Et il ne serait pas surprenant d'apprendre un jour que nous voulons par là signifier notre vengeance à l'égard de nos plantes indigènes, qui savaient qu'on ne les aimerait jamais et qui, en retour, ont inventé un beau matin l'herbe à poux et sa terrible jumelle, l'herbe à puces.

SERGE BOUCHARD

Il faut se mettre dans l'écorce d'un arbre tropical, disons d'un eucalyptus, que l'on a planté près d'une fontaine, sous un puits de lumière, à l'intérieur d'un centre commercial couvert, à Laval. C'est l'endroit idéal pour végéter en plein cœur de la modernité. Symbole du magasinage des fêtes, témoin de la cohue, cet arbre qui n'est pas de souche est devenu l'authentique arbre de Noël.

Le sapin nous vient d'une ancienne tradition qui n'a plus aucun sens aujourd'hui. Noël n'a rien à voir avec la neige et les traîneaux, une église éloignée, une messe de minuit, un réveillon ou une violente poudrerie. Rangez les sapins et les capots de chat. Noël, c'est un stationnement de centre commercial, un corridor bondé de monde, un plancher de tuile, à l'ombre des eucalyptus et des rhododendrons.

Leurs feuilles collées aux parois des immenses baies vitrées, les bambous prospères regardent à l'extérieur les petits sapins qui agonisent sur les bordures des magasins. L'ère du sapin est révolue. Il n'est pas loin le jour où nous n'en verrons plus.

L'heure est au commerce intérieur.

Et l'homme est heureux, qui magasine, qui fait ses emplettes de Noël dans l'euphorie climatisée, en se frayant un chemin parmi des tas de plantes vertes qui parsèment les planchers. Le manteau sur le bras, il déambule au faux milieu d'un faux été, jouissant des cascades et des fontaines d'où l'on entend le son du moteur électrique qui fait l'eau s'étourdir, des petits bassins éclairés par des projecteurs sous-marins et colorés, des ruisseaux dévalant des fausses pierres venant oxygéner l'étang des carpes rouges qui sucent le sel sur les trente sous.

Ici, tout est parfait : la cravate que tu viens d'acheter, le beau Noël, la bonne année, l'air liquide et comprimé. Tout cela te rappelle à l'ordre du paradis, qui est un jardin suspendu, comme chacun sait.

Le sapin, depuis toujours, nous en fait baver. Ne l'invitons plus à nos fêtes.

Le culte des plantes vertes conduit aux pires abus. Ne voit-on pas ces jours-ci, en Arizona, des gens qui prétendent vivre sous une cloche de verre à l'intérieur de laquelle ils fabriquent leur pluie et leur lumière, font pousser leurs légumes, respirent leur oxygène, recyclent leurs excréments, vivent au cœur d'un jardin fait main ? Cette expérience scientifique cherche à démontrer que le vivant est heureux en vase clos. Là, tout peut être contrôlé. La pollution est au niveau zéro.

Qui l'eût cru ? La perfection et la pureté, la santé à l'état pur, tout cela vient en pot.

III

LE BASEBALL

Les spectateurs d'un match de tennis tournent la tête à l'unisson de gauche à droite, puis encore à gauche, à droite, et ainsi de suite jusqu'à la fin du point en jeu, seul moment où il leur sera permis de s'exprimer et de faire un peu de bruit. Puis, à l'instant de la remise en service de la balle, l'arbitre exigera le silence absolu et il arrivera souvent que les joueurs attendent que chacun dans la foule soit assis et parfaitement immobile. Ailleurs, le comportement des spectateurs est encore plus sévèrement contrôlé : lors des tournois de golf, autour des tables de billard et, pis encore, lors d'une compétition d'échecs, où un seul regard un peu trop insistant sur l'un des joueurs mérite parfois une expulsion de la salle. Ailleurs encore, dans le cas des sports plus tolérants et un peu plus raisonnables, le football ou le hockey par exemple, on voit bien que la plupart des spectateurs suivent avec attention et enthousiasme le déroulement du jeu.

Considérez maintenant le comportement assez particulier des spectateurs d'un match de baseball et vous serez frappés tout de suite de voir des gens qui jasent et qui discutent, des spectateurs qui, souvent, regardent ailleurs que vers la surface de jeu, des gens qui font des blagues entre amis, qui mangent des hot-dogs et qui boivent de la bière.

Les critiques qui affirment que le baseball est un sport ennuyeux ont très certainement raison mais, en disant cela, ils répondent à la mauvaise question et confirment, sans toujours s'en douter, l'un des grands drames de la société moderne. Car il est évident que le baseball constitue un sport prodigieusement ennuyeux, et que c'est justement pour cette raison que les spectateurs regardent ailleurs, font la conversation et s'amusent beaucoup. Sur le terrain, il n'y a, la plupart du temps, absolument rien à voir. On dit même qu'une journaliste, il y a quelques années, avait mesuré avec une minutie extraordinaire qu'au cours d'une partie normale, d'une durée de deux ou trois heures, la balle n'est en mouvement que pendant six ou sept minutes. Il n'y aurait donc, de fait, que six ou sept minutes de jeu dans un match ordinaire de baseball. Tout le reste est discussion, stratégie et papotage.

Cela doit paraître commun et approprié à qui garde en mémoire que le baseball, tout comme son ancêtre immédiat, le cricket, était jusqu'à tout récemment un prétexte à profiter d'une sortie estivale. Aller au baseball, c'était aller s'étendre sur du gazon pour y faire un pique-nique en famille ou avec quelques amis.

Les critiques qui affirment que le baseball est ennuyeux n'ont pas compris que la faute n'est pas imputable au sport qui, malgré tous les efforts pour le moderniser, demeure la survivance fossile d'une époque de sociabilité probablement révolue. Derrière cette complainte contre la langueur du sport se dissimule la véritable question, le seul problème qui devrait inquiéter : ces gens qui s'ennuient au baseball manquent d'amis ou de famille avec qui partager un pique-nique et avec qui engager les conversations banales et interminables qui doivent combler le vide incommensurable d'un jeu statique fondé sur des chimères stratégiques. On peut aussi penser que la solitude des gens qui n'apprécient pas le baseball provient du fait que la plupart de ces critiques sont avec le temps devenus eux-mêmes un peu ennuyeux.

SERGE BOUCHARD

Le baseball n'est pas un sport comme les autres. Les maisons de sondages d'opinion prennent sa platitude pour de la platitude, et les analyses suivent le plan des aperçus superficiels. Toutefois, il faut comprendre que le baseball a non seulement ses longueurs, mais encore qu'il jouit d'une grande longévité. Essentiellement fondé sur les exploits de la moyenne et la routine statistique, il a atteint au fil de son histoire une sorte de vénérabilité inscrite dans «le livre» selon lequel il faut jouer, et inscrite aussi dans son Temple de la renommée. L'analyse de la ferveur dont il est l'objet au sein de l'Amérique d'été demande de la prudence ainsi qu'une certaine sensibilité.

Non, le baseball n'est pas un sport comme les autres. Il ne s'agit plus de disques et de bousculades, de ballons et de buts, de «je te l'enlève, tu me la prends», bref, il ne s'agit plus de l'universel principe de la montée vers les filets ou les paniers, il ne s'agit plus de stratégies militaires, celles de toutes les attaques massives ou de tous les replis rapides, celles en somme des accrochages et des échauffourées. Le grand intérêt du baseball réside en partie dans le fait que nous avons là un sport d'équipe qui n'est pas pour autant un jeu de guerre et où la balle est plus intelligente que meurtrière.

D'abord, cela se joue en pyjama. Bien sûr, avec les années, la mode est passée aux collants, pour le plus grand plaisir de la gent des voyeurs et voyeuses qui ne tarit pas d'éloges sur les fesses des frappeurs ou sur les cuisses des voltigeurs. Qu'à cela ne tienne, l'uniforme de ces athlètes n'a rien à voir avec les accoutrements guerriers des joueurs de football et de hockey. C'est le chandail léger de la détente où rien, hormis la tradition, ne saurait vous intimider. Les Yankees, en effet, revêtent un pyjama sacré qui transcende les saisons ainsi que les mentalités.

Jusqu'aux noms des équipes qui ne cherchent pas délibérément à donner le ton de l'agressivité : les Bas-Rouges de Boston, les Bas-Blancs de Chicago, les Moines de San Diego, les Rouges de Cincinnati, les Jumeaux du Minnesota, les Cardinaux de Saint Louis, les Brasseurs de bière de Milwaukee, les Anges de la Californie, il n'y a rien là qui puisse vous empêcher de dormir, si ce n'est l'horrible trouvaille à laquelle notre oreille a fini par s'habituer, celle dont l'équipe de Montréal est affublée : s'appeler les Expos, a-t-on idée ?

Qui ne sait rien du baseball ne sait rien de l'Amérique, et, partant, d'une certaine modernité. Le baseball, c'est en quelque sorte son incarnation, à l'Amérique, son rêve brisé, un stade profond où la rationalité absolue se referme sur elle-même, laissant au travers de ses règles rigoureuses libre cours au jeu de toutes les libertés. La partie n'est jamais finie tant et aussi longtemps qu'elle n'est pas terminée. Sport d'humour, antispectacle qui nous porte à jongler dans un cadre unique où la raison encapsule le rêve sans pour autant l'annihiler. Admettons-le, le baseball tire précisément son attrait de sa très grande platitude, elle-même gage d'une insondable subtilité. Jeu de patience, en vérité. Les gros courent et frappent, les petits frappent et courent, sans que personne y voie d'incongruité. Le baseball représente la quotidienneté : un match tous les jours, le rituel des manches qui se succèdent, le tour de l'Amérique dans son interminable vérité, c'est le seul événement qui vous fait penser à Cleveland au moins quelques fois par année.

Il faut entendre les connaisseurs lorsqu'ils expriment leur passion tranquille ou quand ils explosent de joie devant ces ruptures inattendues que sont les jeux impossibles qui finissent par se réaliser. Les connaisseurs savent que, sous la surface des apparences, sous la fausse lenteur du déroulement, à partir des tics des lanceurs jusqu'aux simagrées des gérants, il se joue une partie serrée sous le rapport de toutes les stratégies. Rien de plus complexe qu'un «rôle de frappeur». Que dire des liens entre le bras d'un voltigeur et la façon de pivoter d'un arrêt-court particulier? Tout se tient dans cette machine, et les bonnes équipes sont des combinaisons «gagnantes». En réalité, tout compte sur le terrain, les regards, les gestes, les signaux, et le baseball est nettement un jeu spirituel où le joueur le plus dangereux est souvent le plus discret.

Et que dire de la balle? Je disais qu'elle était intelligente, mais cela n'est rien encore. Par l'effet de Magnus, elle bouge de haut en bas et même de côté; par l'effet de Bernouilly, elle tombe. En fait, elle a des yeux et elle voyage si bien que nous avons beau l'examiner sur toutes ses coutures, elle continue à confondre le savoir ainsi que les expériences des physiciens. Seul le lanceur sait. Et le frappeur en est quitte pour garder son équilibre physique, pour ne pas dire psychologique, devant ces changements de vitesse, cette grande vélocité, ces pièges et ces glissantes qui, sept fois sur dix, lui font fendre l'air, en même temps que se fend l'âme des partisans bouleversés. À quoi sert un bâton, quand il ne réussit à rien toucher?

Imaginez un terrain sans limites où cependant les lignes ont une grande importance, une période illimitée où tout est question de temps, imaginez un champ, un avant-champ, un monticule, des clôtures, des abris, des enclos, franchement, nous sommes à la campagne. Sur les terrains de ma jeunesse, les moins bons joueurs étaient les vaches... D'où repos de l'esprit. Le joueur joint la souplesse à la force, la rapidité à l'anticipation, l'habileté à la concentration, la patience à l'impétuosité, dans un jeu qui n'épuisera jamais toutes ses possibilités. On y vole des buts et des signaux, on se livre aux centimètres et aux statistiques, c'est un sport de moyenne où tout est compilé, les erreurs, les présences, les séquences et les apparitions.

Comme l'ont déjà souligné de judicieux observateurs, le baseball est le seul sport qui soit ouvert sur l'infini. Qui sait jusqu'où ira la balle une fois claqué le coup de circuit ? On a raison de s'exclamer : « Bonsoir, elle est partie ! »

Je vous parlais de l'insondable subtilité du baseball. Or, voilà que la conjuration des imbéciles s'est mise à la sonder. Pour trouver quoi ? Que les Montréalais désertent le stade en raison de la platitude du jeu. À ce compte, sondez, messieurs, sondez, n'arrêtez jamais de sonder ! Nous n'aurons, nous, qu'à prendre le revers de vos insanités. Il ne faut pas avoir fait un doctorat en analyse mathématique des sentiments humains pour savoir que les gens d'ici, en raison même de leur profonde américanité, sont des amateurs enragés de baseball. Ils adorent ce sport, ils en comprennent la complexité, ils l'apprécient à la mesure de sa tranquillité. Tout cela remonte au stade de Lorimier, et ce n'est pas demain la veille que les amateurs vont se détourner d'un sport aussi spirituel, où il est à ce point permis de ne plus penser à rien, de rêver de circuits ou d'impossibles attrapées, en un mot de calculer et de fabuler dans un même moment. C'est cela, un coup sûr.

Je rêve du jour où un sondage démontrera que la majorité des sondeurs s'attaque à des sujets qui ne se sondent pas. Au baseball, les plus cons restent au fond de l'abri.

Ces firmes sondaient nos intentions. Disons que cela va encore. Voilà qu'elles sondent nos plaisirs. Aurai-je une sonde dans l'âme à l'instant de mourir ? Je vois d'ici le titre :

une enquête révèle que 61 % des mourants disent « baptême » à l'instant de partir, alors que les autres sont indécis. Voir la méthodologie en page 2.

BERNARD ARCAND

On dirait que le baseball veut être reconnu comme un sport infiniment plus humain que tous les autres, puisque c'est le seul où l'on permet couramment que l'erreur soit comprise et compilée. Partout ailleurs, on ne retient généralement que le résultat final, les noms de ceux et celles qui ont bien fait, et l'on oublie aveuglément les mauvais coups et tous les faux pas. Il faut donc croire que les autres sports ne s'intéressent qu'à l'efficacité bête et ne craignent pas de s'afficher comme les produits serviles d'une pensée rationnelle étroitement axée sur la réussite. Tandis que le baseball reconnaît ouvertement l'erreur humaine et, ce qui paraît plus extraordinaire encore, traite l'erreur comme si elle était ordinaire, banale, et sans véritables conséquences. Au baseball, l'erreur est habituelle, elle est attendue, on lui a prévu une place dans la feuille de pointage. Le joueur ou l'équipe qui commettent des erreurs ne seront ni punis ni chicanés, car l'erreur était ordinaire, banale. Et si à la fin de chaque manche, on note l'erreur qui pourra plus tard servir d'excuse, il arrive souvent qu'elle ne soit pas pertinente puisqu'une équipe peut très bien commettre quelques erreurs et néanmoins gagner le match. Toutefois, il ne faudrait pas en conclure que le baseball pourrait facilement se passer de ses erreurs. C'est seulement que l'erreur est indissociable du jeu, parce que le baseball est très humain.

SERGE BOUCHARD

Le cinéma américain entretient avec le baseball une relation plus que suivie, au grand dam d'ailleurs des amateurs européens de cinéma qui finissent immanquablement par y perdre leur latin. Aimer Pacino est une chose. L'aimer en tenue de baseball en est une autre.

Souvenez-vous de la scène superbe et essentielle d'un très beau film qui par ailleurs a bien vieilli : *Vol au-dessus d'un nid de coucous*. Jack Nicholson et ses amis détraqués regardent un match de la série mondiale de baseball à la télévision. L'appareil est installé dans la salle commune. Nous en sommes à la neuvième manche, les Yankees tirent de l'arrière par un point, Mantle est au bâton, il y a trois hommes sur les buts, c'est le septième match de la série. Nul ne peut espérer un meilleur scénario, comme on dit dans la langue du baseball. Les fous, qui sont moins fous qu'on ne le pense, suivent le match avec un grand intérêt. Ils sont excités, car la situation sur le terrain est très intense. Trois balles et deux prises, Bob Gibson des Cardinals s'apprête à lancer le tir fatidique, une «*split finger fast ball*» peut-être, ou une courbe décevante, si ce n'est un changement de vitesse. Le lanceur est en sueur, le frappeur se dandine.

Mais à cet instant précis, un docteur, jugeant les fous trop excités, se présente devant eux et éteint la télé.

Quiconque aime et comprend le baseball saura comprendre la cruauté du geste, qui pourrait rendre fou furieux le plus sage des hommes. Aristote lui-même aurait crié au meurtre.

Mais qu'à cela ne tienne. Jack Nicholson se lève, tourne le dos à la télé et entreprend de décrire la fin du match à l'intention de ses amis les fous. Description imaginaire et emportée, histoire d'un peu s'y retrouver. Deux balles fausses qui laissent l'auditeur sur les dents. Un coup sûr à l'avant-champ, relais serré au marbre, la balle échappe au receveur, un point marqué, l'autre coureur glisse, le receveur bloque, poussière et collision, l'arbitre hésite, le masque dans sa main droite, le plastron détaché, il déclare le coureur sauf, la foule se lève, les Yankees sont champions, les Cardinaux sont en pleurs, les joueurs envahissent le terrain, Mantle lance sa casquette en direction des estrades populaires, la joie est indescriptible, cela frise l'hystérie... Et c'est alors que les infirmiers viennent passer la camisole de force à Nicholson ainsi qu'aux autres fous car l'hystérie, bien sûr, n'a pas sa place chez les fous.

Nous tenons là une bien belle scène de cinéma. Qui montre la puissance du sujet.

Le baseball est, du point de vue du spectateur, un paradis dans le registre de l'imaginaire. C'est une activité intellectuelle de bonne tenue. Ce sport est bon pour la pensée, il est doux à notre âme.

Comme dans toute démarche spirituelle, un très grand recueillement peut conduire à la transe. Une transe thérapeutique, diraient les soigneurs. À ce compte, au terme d'une série mondiale, c'est à l'Amérique entière qu'il faudrait passer la camisole.

Le baseball est ainsi l'un des plus beaux exemples de totalité symbolique et culturelle qui se puissent trouver. Personne ne comprend les Américains. Et c'est dans le baseball que la culture américaine cherche souvent à s'exprimer.

Si j'étais professeur d'anthropologie dans une université hospitalière, je donnerais pour examen le sujet suivant :

« Vous venez de visionner deux fois le film en question, une fois en version originale américaine, une autre fois en version française postsynchronisée dans les studios de Saint-Cloud. Établissez l'anachronisme entre les deux versions, dites comment l'une ne correspond pas à l'autre, analysez les conséquences du choix français qui fait décrire un match de foot à Nicholson, mesurez la perte de sens, l'impossibilité de traduire, et tracez les contours du fait total. Répondez sur deux pages, en une heure. » Tout sur le baseball, la folie, la culture, la traduction, les malentendus, tout sur les grandeurs et les misères du cinéma et de l'imaginaire.

BERNARD ARCAND

L'identité nationale demeure encore aujourd'hui un sujet inévitable de discussion. L'identité québécoise est-elle menacée ou en péril ? Le Québec est-il essentiellement français, latin, anglais ou américain ? La diversité culturelle grandissante de la société constitue-t-elle une menace pour l'identité nationale ? Le Québec demeure-t-il une terre colonisée, sous l'influence lourde d'un peu tout le reste du monde ? Cette question fondamentale est ronde et l'on peut donc tourner autour, organiser des colloques, rédiger des thèses comme des romans épiques, l'écrire pour le théâtre ou la chanson, téléphoner à la radio pour donner son avis, fonder un parti ou se chicaner là-dessus dans les tavernes.

Or, ces débats « identitaires » seraient peut-être plus faciles si l'on reconnaissait collectivement que nous avons à portée de la main un instrument de mesure très simple permettant d'évaluer la force de l'appartenance locale : le baseball. Si vous n'aimez pas le baseball et si vous ne comprenez rien à ses règles, c'est peut-être que vous avez la tête ailleurs, probablement dans le sud de la France ou le nord de l'Italie. Si, par contre, vous savez à peu près comment ça se joue et si vous appréciez le fait que, derrière le hockey et la tourtière, se cache l'amour des gens de ce pays pour le baseball et les spaghettis, vous êtes sans doute en contact avec cette partie du Québec profond qui chaque été, comme dans la marche rituelle d'un pèlerinage ancien, quitte ses campagnes pour rendre visite à la grande ville et à son stade. Alors, réjouissez-vous d'appartenir à une société dont la langue très vivante a eu l'audace d'inventer la «fausse balle», le «coup retenu», la «balle glissante», la «chandelle», «l'arrêt-court» et le «vol des signaux». Nulle part ailleurs dans le monde on ne peut dire en français et avec bon sens qu'un joueur a «volé le marbre» et que deux hommes ont été «laissés sur les buts». Mais si tout cela ne vous suffit pas et qu'il importe que l'on puisse dire de vous que vous connaissez bien «votre» baseball, et si vous prenez la peine d'écouter à la radio américaine, de nuit, un match opposant les Rangers du Texas aux Angels de la Californie, il faudrait voir là un signe évident qu'il y a un malaise et que vous devriez peut-être aller vivre à Milwaukee.

SERGE BOUCHARD

Jo DiMaggio et Marilyn Monroe. Champ de rêve, le naturel... Le cinéma américain passe souvent aux environs du stade. La maladie de Lou Gehrig, le cancer du Babe, la fin tragique de Clémente, la déchéance de Pete Rose, la paralysie de Roy Campanella, les déboires conjugaux d'untel, la faillite d'un autre, le dernier lancer de Nolan Ryan : le baseball possède un tel patrimoine. Le baseball, c'est le terroir de l'Amérique.

Pour des comédiens tels Redford, Costner, Nicholson, Selleck, Douglas, et combien d'autres, il est nécessaire de savoir jouer. Jouer au baseball. Cela fait partie de la formation de l'acteur américain. Nul ne se présente devant la caméra s'il ne sait lancer et s'élancer. L'acteur américain, en effet, doit pouvoir monter à cheval, tirer au fusil, danser à claquettes et frapper un circuit.

BERNARD ARCAND

Le baseball semble en mauvaise santé et souffre beaucoup depuis qu'il fréquente la télévision. Parce que ce média ne lui convient pas du tout, de la même manière que le spectacle d'individus qui passent leur temps à cracher du jus jaunâtre de tabac à chiquer devient vite intolérable sur un tapis dans un salon.

On comprend à quel point un match de baseball n'est pas à sa place à la télévision en écoutant ceux qui en assurent la description. Lorsque la télévision nous offre le spectacle de sports sérieux, par exemple la boxe ou le tennis, les bons commentateurs n'ont évidemment rien à ajouter à ce que tout le monde voit bien, sauf peut-être quelques brèves remarques durant les courts moments de répit. Dans le cas des sports excitants, comme le hockey ou le football, les commentateurs s'égosillent et, malheureusement, nous cassent les oreilles en criant inutilement des séries de noms et en restant presque toujours, comme n'importe quel amateur, une fraction de seconde en retard sur les vrais professionnels; dans de tels cas, le commentaire paraît superflu. L'expérience a été faite, il y a quelques années, par l'un des grands réseaux de la télévision américaine, de diffuser un match complet de football américain, sans aucun commentaire et la réaction du public s'est partagée très également entre l'approbation et la déroute. Quoi qu'il en soit, les véritables sports à spectacle n'ont aucun besoin d'un discours d'accompagnement.

Le baseball télévisé, par contraste, engage des bavards, des conteurs, parfois bouffons, mais toujours potineurs habiles. Puisqu'il ne se passe à peu près rien sur le terrain, les commentateurs essaient de meubler le silence du jeu en parlant sans relâche et, surtout, en montrant leur talent considérable pour raconter de bonnes histoires ou pour réciter quelques légendes. Dans les pires cas, et parce que les chiffres s'additionnent facilement, le baseball semble devenu le compétiteur officiel de l'Office national de la statistique :

on nous apprendra ainsi, par exemple, que le prochain frappeur a conservé en octobre une moyenne de .280 lorsqu'il frappait de la gauche avec des hommes sur les buts et après la quatrième manche. Ce genre d'insignifiances convient parfois dans la bouche d'un voisin volubile ou encore comme bruit de fond provenant d'un poste de radio que l'on écoute distraitement tout en lavant son automobile par un bel après-midi d'été. Mais la télévision, McLuhan l'a dit, n'est pas facilement écoutée par une oreille distraite : la télévision fait appel à l'œil, elle attire l'attention et la capte, ce qui, en somme, est tout le contraire du baseball.

SERGE BOUCHARD

Jusqu'à une période avancée de l'histoire du baseball, le monde des Blancs fut séparé de celui des Noirs. Si bien que nous ne saurons jamais ce qu'aurait donné un duel entre un Satchel Page au sommet de sa forme de lanceur et un Ted Williams au sommet de la sienne. Nous ne saurons jamais combien Cool Papa Bell aurait volé de buts contre les Blancs. Ni comment aurait réagi Ty Cobb s'il avait eu à jouer dans une équipe de Noirs racistes qui, de surcroît, ne l'auraient pas aimé.

Ce sport des pauvres qui a banni le chronomètre est en réalité une leçon sur le passage du temps. Nous sommes sortis du noir et blanc, mais sommes-nous plus avancés, nous qui jouons maintenant sur les couleurs ?

Le baseball admet les gros. Il ne discrimine pas sous ce rapport. Son éventail de recrutement est assez large. Il lui faut des rapides et des minces, des nerveux et des courts, des puissants et des gros, des durs et des grands. Chacun contribue comme il le peut, du jeune lanceur à la grande carrure qui lance des balles de feu jusqu'au vieux routier arthritique qui lance avec sa tête, puisqu'il n'a plus de bras.

Il faut se montrer rapide et être un excellent sprinter pour voler des buts. Il faut avoir un œil de lynx pour voler des signaux. Avoir du cœur au ventre pour voler un coup sûr. Et être un bon sauteur pour voler un circuit. Finalement, il faut être suicidaire pour carrément voler le marbre.

Par contre, il n'est pas embêtant d'être gros et lent lorsqu'on est puissant au bâton, en plus d'avoir l'œil. L'obèse qui frappe des circuits travaille souvent au premier but. Ça ne lui fait pas long à marcher, entre son poste et son abri. L'arrêt-court, quant à lui, est souvent le plus petit. C'est l'acrobate de service, à la fois gardien de but et relayeur doté d'un bras capable, à partir de toutes les positions, d'envoyer des balles de plomb à l'obèse ou au vieux du premier.

Finalement, il n'est pas facile d'être aux champs ; celui qui est à la vache doit suivre le match de loin. Les balles viendront du ciel, il devra toutes les attraper, car s'il fallait qu'elles tombent, ce serait comme la fin du monde.

C'est d'ailleurs l'art, le très grand art du «*baseball manager*» que de savoir réunir sur un terrain une collection aussi hétéroclite d'individus aux talents variés. Cela fait le charme des conversations. Car toutes les combinaisons sont possibles : faire courir le grand maigre et faire frapper le petit gros. Comment trouver le bon ordre des frappeurs ?

D'ailleurs, le baseball est un sport de décision, qui demande la présence forte d'un quatuor d'arbitres. Ce sont des oiseaux noirs et rares qui font nettement partie du spectacle, car tout repose sur leurs décisions. Chaque lancer est jugé par l'arbitre du marbre. L'arbitre du troisième ne dit jamais un mot mais si on lui demande, Dieu sait qu'il a tout vu, et d'un geste il vous renvoie un joueur dans son abri.

Et ces arbitres sont souvent très gras. Ils ont des personnalités assez fortes, et dans les faits, ils en imposent. Gros et immobile comme une statue, courbé derrière le receveur, l'arbitre évalue le lancer. Puis soudain, alors que la foule attend sa décision pendant une seconde, le voilà qui bondit comme un immense crapaud, indiquant une prise par un geste précis et lâchant un grand cri entendu jusqu'aux dernières rangées du stade. Au baseball, l'arbitre fait partie du show.

Décision du gérant, décision des arbitres, décision du marqueur officiel, un jeu relax peut-être, mais un jeu toujours serré.

BERNARD ARCAND

Quand la vie aura finalement disparu de la surface de cette planète, les explorateurs du vaste espace, qui, inévitablement, viendront un jour ici pour essayer de comprendre l'endroit et son histoire, pourraient gagner beaucoup de temps dans leurs recherches en commençant leur séjour par la visite d'un stade de baseball. Comme l'écrivait William Kinsella, un stade de baseball vide, la nuit, ressemble beaucoup à l'intérieur d'une pyramide. L'air qu'on y respire transporte l'ambiance d'une époque.

Ces extraterrestres curieux en viendraient vite à comprendre combien le baseball a toujours constitué un long cri de nostalgie et, du coup, pourquoi il est apparu précisément à ce moment de la fin de l'histoire. Chercheurs attentifs, archéologues patients, ils suivraient à rebours l'évolution du sport et prendraient d'abord note de quelques signes avant-coureurs de la fin : le jour où le gazon fut remplacé par le caoutchouc, le bois par l'aluminium et, surtout, où l'électricité a finalement réussi à remplacer le soleil. Puis, en écoutant les enregistrements anciens, ils constateraient tout de suite combien le baseball était devenu une formidable occasion de raconter de vieilles histoires, de rappeler les temps anciens et de parler d'autrefois en relatant mille et une anecdotes concernant quelques vedettes disparues ; ils seraient alors étonnés de voir combien les meilleurs commentateurs et les plus grands experts en baseball se distinguaient tous, sans exception, par leur prodigieuse mémoire. Et puis, ils toucheraient enfin ce qui leur paraîtrait l'essentiel : le baseball était avant tout un sport lent, tranquille et ennuyeux comme devait l'être tout rêve humain de la vie idéalement paisible. Ils approcheraient alors de la notion de vie calme et sereine dans l'Amérique rurale, loin des grands centres. Les chercheurs de l'espace parviendraient ainsi à la conclusion que l'Iowa et le Nebraska doivent être considérés comme les derniers refuges imaginaires de l'Occident. Et puis ils repartiraient en emportant, comme tout bon amateur de baseball, un souvenir.

IV

LA NEIGE

La neige est une honte. On se plaît ici à chanter que « mon pays, c'est l'hiver », mais personne ne semble vouloir y croire. On se comporte comme si c'était là mensonge et qu'il était concevable de combattre ou de nier cet hiver. Face aux étrangers qui, tout bêtement, constatent que nous habitons un pays de neige, plusieurs s'empressent de répondre en atténuant la vérité, disant qu'en réalité l'hiver n'est pas si long, ou bien qu'à la ville, c'est quand même pas si mal, et puis, bien sûr, ajoutent comme pour se consoler qu'il y a encore beaucoup plus de neige à Chicoutimi... qu'ici.

La plupart des gens habitent maintenant la ville, où la neige n'a jamais vraiment eu de place. La neige moderne est réduite à un décor de campagne : une splendeur que les gens de la ville visitent en fin de semaine en famille, comme les prés ou la forêt. Désormais, il faut sortir de la ville pour contempler l'hiver. Dès qu'il devient nécessaire de nous déplacer pour envoyer les enfants en classe de neige ou pour nous rendre aux sports d'hiver, nous adoptons le ton et le bon genre de tous ces Européens qui vont à la montagne à la recherche de l'hiver. De plus en plus, la neige à la ville est enlevée par camion, tandis qu'à la montagne on la fabrique à coups de canon, dans l'idée de prolonger la saison. Jouer avec la neige, l'enlever ou la répandre, les deux procédés nous coûtent plutôt cher.

À la ville, on déneige, et les vraies bonnes patinoires sont surtout intérieures. Car la ville n'a jamais entretenu de bonnes relations avec la neige, qu'elle doit sans relâche tasser, souffler et déblayer. La ville préfère le métro et les arcades souterraines. Pour les urbains les plus purs ou les plus radicaux, le mot *neige* n'évoquera plus bientôt que ces parasites qui brouillaient l'image des anciens téléviseurs, ou ce produit collant qui décore certaines vitrines au moment de Noël, ou encore les émanations fumigènes qui servent à enfumer certaines scènes de music-hall. Peut-être avions-nous autrefois, comme les Inuit, quatorze mots pour décrire et distinguer toutes les sortes de neiges, mais nous sommes en train de les oublier un par un ; et ce n'est pas parler de neige que d'engager une querelle linguistique obscure entre le « banc » et la « congère ».

Nous devrions avoir honte. Notre attitude face à la neige montre à quel point nous demeurons les victimes dociles d'un impérialisme culturel qui nous impose de faire ici comme ailleurs, et de rouler en plein hiver sur du caoutchouc et de l'asphalte. Quiconque connaît, ne serait-ce qu'un tout petit peu, la violence de nos hivers devrait être en mesure d'apprécier la démence d'un tel manque d'imagination. Parce qu'on s'obstine à vouloir imiter les villes étrangères et à soutenir leur rythme, il faut déneiger, gratter, souffler, sabler et salpêtrer. Prendre le risque de glisser, de patiner, de déraper et de s'enliser. Payer le prix humain et social des fractures, des hernies, des arrêts cardiaques et des carambolages. Et tout cela dans un pays auquel Joseph-Armand Bombardier avait pourtant offert un moyen rapide et efficace de se déplacer sur la neige. Il faut croire que personne n'a voulu écouter Bombardier, ce qui, diraient certains, devait être son destin, puisque, aujourd'hui encore, sa compagnie fabrique les wagons des TGV qui bientôt serviront partout hormis ici.

SERGE BOUCHARD

J'attends le jour où la radio annoncera une tempête, une dépression hivernale si profonde que les météorologues les plus endurcis se rongeront les ongles avant de parler sur les ondes. Je souhaiterais un calcul de précipitations anticipé qui irait chercher dans les cinq mètres de neige neuve avec des vents violents qui balayeraient le pays, présage, au lever, d'une épouvantable poudrerie. À la fin de sa chute, le mercure fracasserait tous les records de froid, qui saisirait le puissant fleuve jusqu'au cœur de son profond courant. Tout gèlerait en surface, et il n'y aurait de salut que pour les ensevelis. J'imagine que cela durerait un moment, dix jours peut-être, avant que la vie ne commence à reprendre son cours normal.

Premièrement, nous serions obligés de dégager nos charrues à la pelle, non sans être sortis de nos maisons par la voie d'un tunnel. Oui, nous en reviendrions aux choses essentielles, au sauvetage manuel, à la notion d'abri. L'école ferait relâche comme à l'occasion de la mort des rois, et nous verrions dans les yeux des enfants de beaux éclairs de joie. Imaginez la blancheur, imaginez la naïveté. Après la tempête, immédiatement après, la neige embellit les recoins les plus laids. Pourvu que personne n'y touche, elle fait de tout une beauté, mais une beauté qui se gâte dès qu'on la nettoie.

J'adore la neige, et je tempête lorsqu'il en tombe quand je ne suis pas là. Je veux être de toutes les chutes. C'est qu'elles se font rares et capricieuses, les belles tempêtes, elles tournent souvent court, passant juste à côté ou stagnant dans les alentours, se faisant grésil ou bien s'éternisant dans l'indéfinie mollesse des fronts chauds dont en hiver on redoute la venue. Les redoux de janvier nous mouillent autant qu'ils nous glacent.

Parlez-moi d'une vraie chute de neige et parlez-moi de froid ; parlez-moi d'un chemin enneigé où l'on mène sa voiture en ouvrant sa propre piste, suivant son instinct à défaut de balises, sans aucune trace devant soi, mais en laissant la sienne derrière, tout en sachant que la neige et le vent auront vite fait de l'effacer, ce qui donnera au suivant le plaisir éprouvé par celui qui est passé devant. À rouler ainsi dans la poudreuse, dans la fine, dans la profonde, ta voiture se métamorphose. Elle va, silencieuse, dans l'enveloppe d'un brouillard de neige, pour ainsi dire sortie du temps, flocon mécanique emporté par le vent sur la surface feutrée d'une route qui n'est qu'effacement.

Mais ce soir, ils annoncent de la bruine verglaçante et les saleuses vont salir les rues et les routes. Lorsqu'un chemin est blanc, nous nous empressons de le noircir. Haro sur la tempête, cette soufflerie de rêve, déneigeons car chez nous la neige n'a plus droit de cité. Ce soir, il y aura du verglas et, bien sûr, nous déraperons au lieu de nous envoler.

BERNARD ARCAND

La neige est aussi une œuvre d'art. Pas uniquement grâce au cristal hexagonal du flocon parfait, mais d'abord parce qu'elle nous a offert notre premier contact avec l'art, notamment notre première expérience des arts plastiques : la fabrication de la balle de neige impeccable, la construction du bonhomme de neige totalement sympathique ou du fort absolument imprenable. Aussi, parce qu'elle nous a permis une première approche de la poésie puisque, dans nos écoles, aucun enfant n'échappe encore au motif émouvant du grand manteau d'hermine de l'hiver qui arrive.

Il est donc particulièrement triste de devoir avouer plus

tard à ces mêmes enfants que tout cela n'était que mensonge. Et de leur montrer que, pour devenir adultes, il leur faudra apprendre que la neige est surtout faite pour être ramassée et enlevée par des camions qui iront ensuite la jeter dans le fleuve ou la déposer dans un cimetière dépotoir. La neige est une saleté, on la balaie, on l'écarte et il ne faut pas qu'elle nous touche ; on a même inventé un tapis d'automobile qui protège le pantalon. On traite la neige comme une ordure et on s'étonnera ensuite que les artistes se plaignent d'être incompris et maltraités.

SERGE BOUCHARD

Comme la fumée, la neige suspend le temps. Elle est dotée d'une légèreté intrinsèque. Voilà pourquoi elle symbolise à sa façon une manière d'éternité. Son insondable propreté a un caractère primitif. Elle vous ramanche les paysages les plus laids, redéfinissant les formes, redessinant tous les contours, effaçant les angles aigus, les angles droits, si bien que la neige fabrique son propre monde. En fait, elle arrondit et tourne les coins ronds. Elle nivelle.

Au sortir d'une abondante chute de neige, même la ville revêt un nouveau visage. Elle est un instant belle, parce que blanche et immobile. Bien sûr, dans la ville occupée, la victoire de la neige sur la grisaille ne dure que le temps que nous mettons pour la piétiner, la déblayer, la salir et la rendre jaune et noire, le temps littéralement de l'enlever.

Jean Paulhan écrivait qu'il n'est rien de plus triste que la campagne française vue à travers la vitre d'un château humide, en hiver. Jamais il n'aurait écrit cela si ces campagnes avaient été lourdement enneigées. Car la neige est l'antidote à ce que j'appellerais la douloureuse insignifiance des paysages ratés. La neige marque et donne du tonus. Elle rend beau jusqu'à l'horrible cimetière d'autos. L'empilement sordide des carcasses hétéroclites prend, sous la follette et la poudreuse, une forme qui évoque l'harmonie du repos. Tout est atténué, hormis la présence sacrée d'une mémoire métallique, d'un patrimoine ouvré qui est ici bien à sa place. Et si la neige sacralise jusqu'aux cours à « scrap », c'est que la neige tombe partout et qu'elle a le geste tout à fait gratuit. Elle embellit et elle égalise, du pavé de l'usine au parvis de l'église.

Son efficacité prend toute sa mesure dans la forêt. Là, le moindre sentier devient une allée de cathédrale. Quand elle abrille les épinettes et les sapins, elle leur donne une allure et du corps, une sorte de présence. Et tout le bois s'endort. Car la neige est silence depuis que la neige est mémoire.

BERNARD ARCAND

Comme chacun le sait, les enfants sont souvent craintifs, fragiles et assez inquiets de ce qui vient. Plusieurs se disent terrifiés par les monstres et les méchants, la plupart ont besoin d'une mère, d'un grand frère ou d'un ami. Les enfants ont très souvent peur du noir.

Ce constat banal devrait suffire à expliquer l'un des grands mystères de la psychologie infantile : pourquoi les enfants deviennent-ils fous de joie le matin de la première neige ?

C'est que la neige couvre alors la poussière et la boue. Elle dissimule les trottoirs tristes et les rues mal pavées. La neige vient effacer toutes les traces, elle redonne de l'éclat et impose une nouvelle clarté. En d'autres termes, il semble approprié et tout à fait raisonnable que les premières neiges surviennent vers la fin de l'automne, au moment où le solstice d'hiver approche, c'est-à-dire à cette époque de l'année où le soleil gagne sa lutte annuelle contre les forces de cette noirceur qui fait tellement peur aux enfants. Quand les jours rallongent et que la neige tombe, dès lors il devient évident que l'été reviendra. La neige tombe, donc on peut dormir en paix, il y a de l'espoir. En ce sens, il faudrait considérer toutes les neiges comme éternelles.

SERGE BOUCHARD

Savoir pelleter de la neige est un grand art. En vérité, c'est un métier qui se perd. Trop de gens se jettent sur une pelle comme si de rien n'était. Rien n'est plus simple, disent-ils, insultant ainsi des générations de «pelleteux» qui, au fil des tempêtes et à travers de nombreux hivers, ont établi les règles du métier. Toutes les neiges ne se pellettent pas de la même manière. Il faut savoir identifier ce qui vous tombe sur la tête. Il y a la mouillée, la légère, la follette, la croûtée, la petite, la franchement lourde, c'est-à-dire la pesante, la froide, la sèche que le vent refoule dans les angles et les coins. Bref, il convient de juger, de jauger, de se réchauffer, de mesurer ses forces, de bien choisir sa pelle, de concevoir au préalable l'architecture de toute l'affaire. Car un pelletage mené à la légère peut vous conduire au mal de dos, à la crise cardiaque ou à la crise de nerfs.

Il faut dire qu'il n'est rien de plus beau en hiver que des chemins de neige parfaitement entretenus. Les charrues provinciales et les souffleuses municipales réalisent des œuvres d'art en relevant la neige en bordure des rues et des routes. En face de chacune des maisons, une entrée bien pelletée est une belle signature.

Vous aurez compris combien j'aime que la neige soit en ordre, les chemins bien tracés et les champs vraiment blancs. Les traces anarchiques laissées par le passage des motoneiges en folie sur la surface virginale des grands espaces enneigés m'ont toujours fait mal au cœur. C'est comme s'il y avait là une profanation. C'est que la neige se prête bien aux images sacrées. Quelqu'un m'a déjà dit que lorsque les vieux Indiens traversaient un beau grand lac gelé en raquettes, ils soignaient la ligne de leurs pas, comme si d'en haut, de très loin dans le ciel, un œil invisible, « manitouesque » embrassait d'un seul coup leur équipée remarquable. Notre chemin est un message, et nous laissons partout des traces. Les routiers pensent de même, eux qui ont de la fierté, la fierté de la poudreuse qui colle à la machine, preuve de leur légèreté, témoignage de leur course.

Un professeur de mathématiques, en me remettant une copie d'examen dont la note était lamentable, me disait, il y a de cela plusieurs années : « Vous devriez songer à faire carrière dans le pelletage de la neige, vous n'avez aucun avenir dans les équations ! » Il ne croyait pas si bien dire : pelleter de la neige en respectant les règles, cela demande de l'imagination.

BERNARD ARCAND

Ce pays demeurera toujours incompréhensible à qui n'apprécie pas le lien profond unissant la neige et le sable. Nos ancêtres ont toujours côtoyé l'intolérable et ont survécu dans un milieu qui n'a jamais été conçu pour la vie humaine. Quelques arpents de neige, un vaste désert de neige, au moins, cette fois, Voltaire avait raison. Les gens d'ici ne devraient plus jamais se croire français, latins, ni même nordiques ou américains. Leurs véritables interlocuteurs, les seuls amis en mesure de vraiment les comprendre devraient tout naturellement se retrouver chez les Touareg ou parmi les Bédouins.

Serge Bouchard

Je n'aime pas le mot congère. Serais-je le seul à qui ce mot ne convient pas ? À mon oreille, il sonne mal, il ne veut rien dire de plus, et il vient bousculer une convention qui me convenait tout à fait. Ne serait-ce que pour cela, le mot congère m'agresse, il blesse mon oreille conservatrice, mon âme traditionaliste et mon cœur fondamentaliste.

Banc de brume, banc de poissons, banc de parc, banc de neige, quelle que soit la facture, nous disposions d'une expression irremplaçable que l'on ne pouvait remplacer.

Nous sommes venus au monde sur un banc de neige. Nous avons tous joué dans le banc de neige, sur le banc de neige. Châteaux, couloirs, guerre et séduction. Nous sommes morts étouffés sous la neige à cause de l'effondrement d'un banc. Asphyxiés, happés par la souffleuse, peu importe, les jeunes ont donné au monde du banc de neige. Nous sommes « rentrés dans le banc de neige » quand nous dérapions en fin de soirée, au volant inutile d'une voiture qui ne tenait pas plus à la route que le pneu à la glace. Le banc de neige a été la bande de nos patinoires, un rempart, une chaîne de montage, une muraille de Chine, une mesure de précipitation, et c'est un monde en soi.

Comment, congère, pourrais-tu prétendre signifier tout cela ?

Bernard Arcand

Les commentateurs et les analystes au fait de l'actualité la plus immédiate parlent d'un vacuum politique. Les bonnes idées sont rares, disent-ils, et les leaders se répètent. Les grands partis se font vieux et les mouvements nouveaux ne font que remuer de vieilles salades déjà fatiguées. On dirait même que c'est toute la classe politique qui est en manque d'imagination. Et à entendre les politiciens, il n'y a rien de surprenant à ce que l'électorat se désintéresse largement de la chose politique et que les plus affirmatifs aillent jusqu'à dire qu'ils en ont ras le bol.

Il est concevable que la situation soit sans issue. Car, malgré le talent et toute la bonne volonté du monde, aucun gouvernant ne pourrait corriger une question qui a le défaut d'avoir été mal posée et qui ne peut que générer des réponses toujours biscornues.

Si l'on voulait sauver ce pays, il faudrait d'abord reconnaître une fois pour toutes qu'une nation qui prétend pouvoir oublier sa neige et nier ses hivers ne sera jamais gouvernable. Un peuple entier qui se maintient en conflit perpétuel avec son environnement et qui chiale sans cesse contre ses hivers se dotera de politiciens qui refusent l'existence de la neige. Cela ne peut donner qu'un pays où l'on s'acharnera à imposer le maintien d'horaires de travail tempérés absolument précis et réguliers, de 9 à 5, par -28 degrés Celsius et avec des vents violents ; un pays de rêve où les vacances des travailleurs de la construction tomberont précisément lors des deux seules semaines de l'année durant lesquelles il est agréable de travailler à l'extérieur. Ce pays serait drôle : une copie du reste du monde, mais tout à l'envers.

Dans l'espoir de sortir le pays du marasme, il serait donc urgent de fonder un nouveau parti politique consacré à notre réconciliation avec la nature. Plus écologique que les Verts, ce parti proposerait essentiellement de réintroduire dans la conduite de nos affaires un peu plus de respect pour l'ordre naturel des choses, et sa critique des politiques traditionnelles tiendrait en son slogan : « Cessons d'insulter l'environnement. »

L'article premier du programme de ce nouveau parti proposerait le déplacement de la saison des vacances. Désormais, il nous faudrait, comme la fourmi notre voisine, travailler tout l'été. Pas de vacances en été, ce qui n'empêche nullement de travailler plus tôt dans la journée, quand le temps est frais et beau, afin de ne pas terminer trop tard et de profiter des longues heures de l'été. Ensuite, durant les mois qui suivent, l'automne redeviendrait la saison des récoltes et des actions de grâces, la période des rapports et des bilans, outre celle des terribles examens scolaires et des exigeants préparatifs des fêtes. Puis, viendrait la neige. Entre Noël et le jour de l'An. Une neige lourde et abondante. Et c'est ainsi qu'après avoir travaillé toute l'année et après avoir trop mangé et trop bu lors des réveillons, des partys de bureau et de toutes les célébrations du Nouvel An, une nation entière tomberait en vacances. Paisibles et tranquilles sous une neige abondante, les mois de janvier et de février seraient par décret officiel consacrés à ne rien faire... jusqu'au temps des sucres et de notre seule vraie saison de ski.

Durant ces vacances hivernales, les citoyens ordinaires seraient fortement encouragés à faire comme nos ancêtres du début de la colonie : se coucher, dans le seul but de se reposer durant tout l'hiver. Ne plus se lever que pour manger ou faire pipi. Rester au lit, bien au chaud, avec des provisions plein la maison. Rester au lit pour lire, faire l'amour ou jaser. Écouter de la musique, regarder des films, suivre des feuilletons préenregistrés ou des saisons de sports étrangers. Bref, faire n'importe quoi, mais surtout rien, en restant chez soi et sans devoir s'habiller.

Aucun économiste sérieux n'oserait contester la réalité de l'énergie qui pourrait être ainsi accumulée, et qui transformerait le retour au travail en une période d'exubérance expansionniste. Pour les autorités civiles, le congé hivernal permettrait d'abord d'épargner en fermant pour quelques semaines les bureaux surchauffés et les parlements désaffectés. Et puis, surtout, il y aurait l'avantage de pouvoir sabrer dans les dépenses publiques en cessant de s'acharner à déneiger les rues, puisqu'on laisserait partout des montagnes de neige propre et immuable. Et pour rassurer les inquiets, il suffirait de maintenir les services vraiment essentiels et quelques moyens d'intervention urgente qui, grâce à l'hélicoptère et aux voitures à neige, et en l'absence totale de circulation routière, réussiraient à être beaucoup plus rapides et efficaces que les services ambulanciers actuels. Fini donc les dépenses excessives pour déblayer les rues et l'endettement massif dû à l'électricité. Inutiles, par surcroît, les efforts pour se doter d'une politique de natalité.

Récapitulons. Tout débuterait dans les premières semaines de mars : la session parlementaire, l'école, les travaux de préparation agricole et la navigation. Ensuite, tous les industrieux besogneraient honnêtement jusqu'à la mi-juillet, moment où l'on se permettrait un petit congé de deux semaines, soit l'équivalent inverse de l'actuelle pause de Noël. Puis viendrait une reprise fébrile : l'automne des élections, des galas et de l'attribution des prix, la fin de toutes les saisons, la conquête des coupes Stanley, Grey, et de toutes les coupes du monde. Après quoi viendraient la fin de l'année, les célébrations amicales et familiales, les cadeaux et les vastes opérations « nez rouge » pour en finir avec décembre. Enfin, dès le début de janvier débuteraient les grandes vacances, le calme plat, le silence de la neige et l'oisiveté absolue durant deux mois d'ensevelissement. Une période sacrée de repos que l'on désignerait désormais du nom du parti, le Nouveau Parti de l'Ours Démocratique.

Serge Bouchard

Lorsque j'étais petit, j'aimais la neige. Toutes les tempêtes étaient grosses, car la moindre bordée nous paraissait énorme. Ce point de vue est bien normal, mais il y avait plus encore. La neige fascine les enfants parce qu'elle porte au jeu. Elle est récréation pure. La journée de tempête est une journée de fête, une pause dans le déroulement des jours, une invitation à l'aventure. La nature, mine de rien, nous propose un nouveau paysage, un décor neuf; à nous de l'explorer. Se laisser tomber, s'enfouir et s'ensevelir, construire des fortins, fabriquer des bonshommes, s'imaginer perdu, s'enivrer de froidure et de légèreté avant de rentrer à la maison, les joues rouges de plaisir avec de la neige dans les poches, dans les cheveux, dans les bottes, voilà une belle façon de prendre son congé.

Petit, j'ai donc beaucoup aimé la neige. Quand je serai très vieux, je ne l'aimerai pas. Car la neige, qui serait éternelle si le temps ne passait pas, nous rappelle à l'ordre de la fonte et du passage. La neige s'évapore, elle disparaît en avril. Le printemps est mort. Il vient briser le charme de l'hiver, un charme qui tient à ses similitudes avec l'éternité. Cela, le vieux le sait. La fonte de la neige sous le soleil du printemps vient bousculer les choses; tout s'excite et se met à bouger, tout s'écoule. La vie, qui semble joyeuse, se fatigue en vérité. L'hémorragie du temps n'est jamais aussi sensible qu'au moment des grandes débâcles.

Voilà pourquoi, peut-être, les vieux haïssent l'hiver et s'en vont le passer en Floride, quand ils le peuvent. Les vieux se cachent pour mourir, bien sûr, mais surtout ils ne supportent plus ces «changements de temps» qui les placent face au destin. Au fond, ils ne détestent pas la neige; c'est juste qu'ils n'aiment pas tellement la voir fondre.

On dit de la mort qu'elle est froide, et le climat d'outre-tombe est présumé glacial. Voilà bien le problème. Ne sachant pas qu'ils sont en vie, les enfants se jouent de la mort. Le froid les ravigote et le printemps leur donne la bougeotte. Mais les vieux ont forcément la mort dans l'âme. Ils se méfient de ce que le temps emporte. La neige leur évoque tout cela. Ils redoutent autant la fonte que l'ensevelissement, ils craignent le côté glissant de la glace autant que la paralysie. Lorsque je serai très vieux, la neige, pour moi, ne sera plus un jeu. L'hiver passe tellement vite, même si, du point de vue de la nature, l'hiver est justement là pour s'éterniser.

V

LE DICTIONNAIRE

SERGE BOUCHARD

D'après le *Larousse* de 1972, la hure serait la tête du sanglier, une fois coupée. Cela se dit aussi de la tête du cochon, de celle du saumon et de certains autres poissons. Quant au Huron, et à la Huronne, nom et adjectif, c'est une personne grossière, un malotru. Depuis *L'Ingénu* de Voltaire, en effet, dont les mauvais usages font loi dans nos savants dictionnaires, l'expression «un vrai Huron» signifie précisément un grossier personnage. Mais le *Larousse* de 1972 est un vieux dictionnaire.

Le *Petit Robert* est, sur le même sujet, un peu moins léger. La hure, ce n'est pas la tête coupée du sanglier, ce serait plutôt l'image que l'on se fait du visage de la tête coupée du sanglier, un faciès de bête surprise et désolée, confirmant en cela l'impression générale et populaire voulant que la lame, la hache, le couperet, le sabre, la machette, la hachette, le coutelas, lorsqu'ils tranchent dans le vif un cou entier d'un coup sec, donnent au visage de la victime une expression particulière dont nous ne savons pas au juste si elle relève de la douleur, de la déception, de la colère ou de la peur. Une tête sera toujours surprise d'être décapitée. Devant Hérode, saint Jean-Baptiste devait avoir les traits tirés.

Le *Petit Robert* ajoute en parlant du Huron : «nation indienne de la famille des Algonquiens, au Canada». Ce qui nous donne ce résumé : Huron, tête hérissée, peuple indien de l'Amérique du Nord, de la nation des Algonquiens. Personnage de *L'Ingénu* de Voltaire. Malotru, grossier comme un Huron. En ce qui a trait aux Iroquois, langue de vipère, voir Huron.

Or, considérez ceci : je connais des Hurons qui sont chauves ou bien frisés, roux et raffinés. Les Hurons sont aussi algonquiens que les Français sont berbères. En vérité, les Hurons sont des Iroquois. Et les Iroquois ne sont pas des langues de vipère, ils parlent tous anglais. Quant à Voltaire, je donne ma langue au chat. Dans le dictionnaire des gens célèbres, on consacre à ce petit malotru parfumé au moins une page entière. Comment voulez-vous après ça que, sur nos têtes, ce qui nous reste de poils ne soit pas hérissé ?

BERNARD ARCAND

Aller vérifier dans le dictionnaire, c'est faire appel à une instance morale supérieure. On se sert du dictionnaire parce qu'on croit que les mots ont un sens et que le sens du monde est en bon ordre. On croit savoir que derrière la cacophonie des sons de tous les jours, il y a quelque part une logique qui permet d'arbitrer les désaccords de sens.

Parmi ses nombreux commentaires sur la vie moderne, Confucius aurait dit que si, un jour, on lui confiait le pouvoir, sa première décision législative serait de fixer une fois pour toutes le sens des mots. Le grand maître avait la sagesse de reconnaître que les malentendus naissent souvent de l'incompréhension, et que les mots ne veulent pas toujours dire la même chose. C'est pourquoi les juristes et les gens de loi se préoccupent tellement de la précision des termes, pendant que les scientifiques et les ingénieurs s'inventent des jargons techniques à toute épreuve. Évidemment, la précision demeure aussi la grande passion des rédacteurs de dictionnaires. Leur souci du terme juste est tel qu'on raconte même que le célèbre Émile Littré, découvert un jour par sa femme alors qu'il était au lit avec la bonne et entendant son épouse s'exclamer : «Émile, je suis surprise», lui aurait tout de suite répondu : «Non, ma chère, vous êtes étonnée. C'est nous qui sommes surpris.»

Pourtant, ces efforts louables pour aider la communication et pour éviter les malentendus constituent, très probablement, des erreurs élémentaires. Il faut croire que c'est Boileau qui avait raison : les mots ont des sens assez précis et les dictionnaires actuels suffisent largement, c'est plutôt la pensée qui fait trop souvent défaut. Si l'on s'exprime mal, c'est moins par manque de mots adéquats que parce que l'idée n'est pas encore tout à fait claire ou parce que l'on n'est plus très certain de ce qu'il faudrait dire. Et malgré tout ce qui se raconte sur les divans, la difficulté vient rarement d'une incapacité à trouver les mots pour le dire, car il faut d'abord trouver quoi dire au juste. Et il faut dire aussi qu'en attendant, c'est-à-dire entre-temps, nous courons du même coup le risque de fort mal écouter, d'arriver à croire que les mots que l'on a bien compris veulent vraiment dire ce que l'on voulait bien entendre. Car n'importe quel dictionnaire adéquat offre l'éventail des sens permis et laisse ensuite chaque lecteur libre de ses choix. Par la même occasion, aucun dictionnaire ne pourra plus aider ceux qui ont pris l'habitude d'accepter comme subtiles les plus grossières banalités ou de comprendre les nuances un peu fines comme autant d'affirmations gratuites.

Loin des dictionnaires, c'est-à-dire là où les humains parlent et s'expriment, l'usage des mots demeure toujours ambigu. Par exemple si, de bon matin, par accident, je dis «bonjour» à l'un ou l'autre de mes nombreux ennemis, celui-ci passera (ou du moins, je l'espère) un bon moment à se demander ce que je voulais bien dire et ce que j'espérais lui signifier par cette salutation un peu curieuse et surtout inattendue. Quel est le sens véritable de ce «bonjour» banal mais mal placé? Le dictionnaire parfait nous enseignerait les nuances de la vie courante. Il tiendrait compte du fait que les mots et les verbes ne peuvent être utilisés qu'au présent et que le sens d'un mot n'est pas toujours le même en été et en automne, prononcé dans la joie ou la colère, sorti de la bouche d'un plaisant, d'un désespéré ou d'un menteur. Et on le sait, dans certains cas, les mots n'ont pas du tout le même sens le lendemain matin.

Voilà bien pourquoi la littérature, artifice suprême du jeu sur les mots, demeurera toujours un grand art. Le texte de Molière restera à jamais supérieur à sa performance au théâtre parce que, comme nous ne connaissons pas la grimace qu'il faisait en déclamant : «C'est que jamais, morbleu, les hommes n'ont raison, que le chagrin contre eux est toujours de saison», la porte est ouverte à toutes les interprétations raisonnables. Lisant le texte de Molière, je pourrais rire avec Alceste, ou pleurer. Heureusement que Confucius n'a jamais obtenu le pouvoir de fixer le sens des mots et que les dictionnaires demeurent toujours imparfaits.

SERGE BOUCHARD

Le dictionnaire est la prison du mot, c'est son établissement de correction. Ce grand livre de la rectitude donne au mot sa légitimité mais, du coup, il lui assigne un champ dont il ne peut plus sortir. En somme, il dit au mot ce que le mot veut dire, ce qu'il couvre et recouvre, pas un hectare de plus, pas une acre de moins. Dès lors, la réalité sera d'autant plus claire qu'elle sera ordonnée selon le point de vue du dictionnaire. Le monde est clôturé, cadastré, arpenté et marqué. Pour l'esprit encyclopédique, le dictionnaire est à la langue ce que les titres sont au notaire : des archives et des notes qui règlent nos affaires.

De la sorte, et à ce titre, justement, le mot qui n'est pas dans le dictionnaire d'une langue est à proprement parler un mot qui n'existe pas. Cependant, et c'est un paradoxe de taille, l'entrée d'un mot dans le dictionnaire signifie précisément son retrait de la vie sauvage. Dans le grand livre, le mot a pris son trou, sa fosse au cimetière, naufragé qu'il est sur les côtes assassines d'une terre cultivée appelée dictionnaire. La langue de bois est faite d'un bois que l'on retrouve sur cette terre-là, un continent cannibale qui bouffe du mot libre et qui ne cesse de grossir au fur et à mesure que la langue s'appauvrit. D'ailleurs, cela s'observe : plus le dictionnaire s'épaissit, plus la langue s'amaigrit.

BERNARD ARCAND

Il n'est pas nécessaire d'avoir vu la tête que font la plupart du temps les membres de l'Académie royale espagnole, ni d'avoir palpé l'habit vert des immortels français pour comprendre que la fabrication d'un dictionnaire constitue une entreprise conservatrice par excellence et par définition. Pour croire un dictionnaire utile, il faut d'abord être convaincu qu'il existe une langue idéale, officielle et normative, qui vaut la peine d'être préservée pour encadrer les usages courants et pour être transmise aux générations suivantes.

Il faut dire tout de suite que la notion d'enseignement a toujours été centrale dans ce contexte, et que les efforts pour créer des dictionnaires adéquats et efficaces restent indissociables du développement de l'école comme institution. Bien sûr, on a trouvé des traces de premiers dictionnaires en Mésopotamie dès le VIIe siècle avant Jésus-Christ, mais c'est surtout à partir des XVe et XVIe siècles, quand l'école en vient à dominer de plus en plus la formation des jeunes, que les éducateurs insistent pour obtenir un manuel du maître qui leur montrera quoi enseigner et qui, du coup, assurera un minimum d'uniformité d'une école à l'autre. Depuis ce temps, on fabrique patiemment des dictionnaires pour essayer de fixer les normes et d'établir les balises de l'essentiel du bon usage. Dans l'espoir, surtout, que la culture s'en trouve préservée pour les générations à venir.

Le dictionnaire viendra donc corriger nos écarts de langage et, souvent, trouvera pour nous le mot juste, en rappelant cette langue belle, officielle mais si riche, car il est fait pour nous, le commun des mortels, ou devrais-je dire plutôt nous, les éphémères, c'est-à-dire les gens ordinaires, les particuliers, enfin, nous les hommes, non, les humains, les créatures, les non-dieux, les personnes normales, les gens du commun, les messieurs et les mesdames Tout-le-Monde, les zigotos.

SERGE BOUCHARD

Chacun se plaint de la langue de bois, mais de quoi s'agit-il en vérité? Julien Gracq dit ceci : «C'est quand la luxuriance de la vie s'appauvrit que montrent le bout du nez, enhardis, les faiseurs de plans et les techniciens à épure, après quoi vient le moment où il ne reste plus qu'à appauvrir la vie davantage encore pour en désencombrer la planification.» Voilà qui en dit long et en peu de mots, somme toute. C'est en tout cas la meilleure définition possible de la langue de bois. C'est une langue où les mots ont perdu leur signifiance, leur valeur et leur âme. Chacun flotte à la dérive, et tous sont quasiment interchangeables, du fait qu'ils ne s'ancrent plus dans un réel complexe et ondoyant. Ils ne font plus état des profondeurs, mais se déplacent à la surface.

Or, plus il y a de technocrates et de lumières, plus il y a de codes fonctionnaires, et plus les dictionnaires se multiplient. Plus les choses se précisent, plus nous devons les préciser. Ne cherchez plus un sens à votre vie : le dictionnaire de la psychologie moderne l'a trouvé à votre place. Que tous les conteurs, poètes, radoteurs, menteurs, que tous les patenteux, rabouteux et forgeurs de mots aillent se faire voir ailleurs. Désormais, les mots dérivent et ne tiennent plus à rien. Il est démodé de s'attacher aux mots, de voir en eux autre chose qu'une fonction et un sens propre, il est interdit de nos jours de nous les figurer, les mots. Ce qui est tout à fait conforme à l'esprit de l'époque. On ne s'attache plus à son cheval, à sa machine, à son camion, à ses outils, à ses affaires. Le mot est une pièce au programme de la langue. La langue, elle, fonctionne d'autant mieux qu'elle ne représente plus rien. Dire de cette langue que c'est une langue de bois est déjà une insulte de taille pour la langue et pour le bois.

Bernard Arcand

Combien de mots sont tapés à la minute dans tous les bureaux d'une métropole moderne ? Dans son interprétation cinématographique du *Procès* de Kafka, Orson Welles avait placé dans un hangar d'avions quelques centaines de personnes qui tapaient mécaniquement sur des dactylos. Combien de mots sont prononcés chaque jour par le milliard d'habitants de la République populaire de Chine ? Les humains font beaucoup de bruit, la planète résonne et l'humanité entière n'est qu'une incessante chaîne d'assemblage de mots.

Dans la mesure où les humains se parlent, il n'est pas nécessaire d'avoir recours à un dictionnaire. Lorsqu'une conversation s'embrouille, quand une discussion s'emmêle et qu'une clarification s'impose, il est généralement possible de s'en parler et de trouver le moyen, justement, de résoudre les malentendus. Mais dès que la distance physique s'ajoute à la distance sociale, à partir du moment où l'on commence à s'écrire, il devient soudain plus difficile de s'expliquer. La distance augmentant, il faut maintenant s'écrire, fixer les mots sur papier, rédiger et enregistrer les ententes, consigner des textes dans les archives. Tout cela encourage la distance de plus en plus remarquable entre la parole et la langue, entre le son d'une voix et le mot du dictionnaire.

C'est pour cette raison toute simple que les dictionnaires nous en disent généralement beaucoup trop et contiennent toujours des mots obscurs, inconnus, et qui nous paraissent inutilisables. Parce que la société se diversifie et que les gens se distinguent entre eux, les trois ou quatre mille mots que chacun utilise couramment deviennent progressivement de plus en plus distincts d'un groupe à l'autre, à tel point que certains groupes emploient un vocabulaire particulier et quasi incompréhensible à d'autres; dans les autobus des mégapoles postmodernes, on entend couramment parler de câble coaxial, de riboflavine, de gorgerette, d'Ainu ou de full-flash capoté. À ce grand jeu de la mosaïque, on risquerait vite de ne plus jamais pouvoir se comprendre. Et c'est ainsi que le dictionnaire vient en quelque sorte témoigner de nos difficultés à communiquer.

SERGE BOUCHARD

Ne plus savoir parler est une manifestation de notre temps. La modernité semble se méfier d'une langue qui serait trop vivante, trop libre, trop populaire. Casamayor nous dit que dans une société d'abondance et de gaspillage, il en est des mots comme des choses. Ce n'est pas seulement la durée de l'usage qui les banalise, c'est aussi la manière d'en user. L'utilisateur habile et attentif s'attache à la machine, le poète s'attache aux mots qu'il emploie. Le discrédit où sont tombés tant de mots tient autant de l'abus qu'en ont fait ceux qui les ont prononcés qu'à l'automatisme passif de ceux qui les ont entendus... Le résultat est là : le mot a perdu son âme.

Nous sommes la société des lexiques et des glossaires. Il faut un dictionnaire par ministère, et toutes ces choses obscures et familières sont devenues aussi claires qu'étrangères. Voilà pourquoi les dictionnaires se multiplient. Les mots sont devenus tellement fonctionnaires qu'ils ne supportent plus le poids du plus petit fragment de la réalité. Ils sont fragiles et frileux, il ne faut pas les bousculer.

BERNARD ARCAND

Le monde contient au moins deux millions d'espèces d'insectes clairement identifiées et nommées par les entomologistes. Et pourtant, aucun dictionnaire de la langue ne contient deux millions de mots ; imaginez un dictionnaire de deux millions de mots et qui n'aurait encore rien dit des hirondelles, du tue-mouche et des aérosols. Cependant, certains dictionnaires font en ce sens des efforts louables : chacun se veut le plus complet, et plusieurs annoncent la quantité impressionnante de mots qu'ils contiennent ; le premier dictionnaire chinois connu listait déjà, au premier siècle après Jésus-Christ, 9 353 caractères ; l'énorme *Oxford English Dictionary* offre près de 70 000 mots, et le *Webster's,* dans sa troisième édition, propose pas moins de 132 façons différentes de prononcer le mot « a fortiori ». Néanmoins, les dictionnaires ne disent pas tout. Les dictionnaires nous cachent bien des choses.

Tout simplement parce que le dictionnaire est le résultat d'une épuration qui témoigne inévitablement des choix de ses auteurs. Et la plupart ont depuis longtemps décidé que deux millions d'espèces d'insectes, c'est trop. (D'ailleurs, pourquoi seulement deux millions ?) La majorité des lexiques évitent de la même manière les mots trop cochons, trop grossiers ou trop racistes. Mais ce que les dictionnaires évitent par-dessus tout, ce sont les jeux de mots, le double sens et les bonnes blagues. Pour reprendre un vieil exemple, si je vous raconte que : «Mon ami voulait entrer dans la police, mais la police s'est tassée et il est entré dans le mur», on voit facilement que l'effet comique de cette phrase banale repose sur la conjonction de deux des nombreux sens du verbe «entrer»: dans le décor et dans les services. Lorsque les deux sens distincts du même mot sont confondus, il se crée une ambiguïté amusante, une sorte de court-circuit risible des sens, une confusion drôle. Ainsi, l'effet comique de la blague et du court-circuit qui crée le non-sens représente très exactement le contraire de la démarche de mise en ordre rigoureuse du sens que recherche tout dictionnaire. Il faut donc s'attendre à ce que la plupart des dictionnaires soient rarement drôles et pas souvent amusants.

SERGE BOUCHARD

On a longtemps prétendu que la langue française avait un génie. D'aucuns ont associé ce génie à sa logique et à sa clarté conceptuelle. L'intellectuel français ne doute pas de la qualité supérieure de sa langue : le parlant français devrait pouvoir s'exprimer correctement et largement, sans contrainte. Cette conviction n'est pas sans conséquence depuis que l'on a pris ce génie pour du génie, classant les autres langues derrière. Erreur grossière, en vérité, qui dit que l'on pense mieux dans celle-ci que dans celles-là. À cet égard, relisez Sartre, tâtez de l'être et du néant. Vous découvrirez assez vite que Sartre prend les mots au sérieux, c'est-à-dire au pied de la lettre. Contre une philosophie allemande trop mollassonne à son goût, il célèbre la configuration cristalline des mots, croyant sûrement que la plupart des mots français représentent des victoires de l'intelligence universelle sur la confusion générale. Et Sartre de mettre de l'ordre dans tout ça. Libéré de sa gangue poétique et romantique, de sa fiente naturelle, en somme, le mot juste du penseur parisien s'arrogeait le statut de concept philosophique supérieur. C'est la manière de Voltaire. Or, il apparaît clairement que Voltaire n'aurait guère apprécié les idées de Lévi-Strauss, tout comme il aurait ridiculisé Camus. Car Voltaire n'avait rien à foutre des visions du monde et de la relativité ; c'était un béotien en ce qui concerne l'imaginaire. Relisez *L'Être et le Néant*. Pour le comprendre, il faut un dictionnaire. Et dites-moi si vous voyez une différence entre le chapitre 3 de ce pensum et la directive numéro 44 relative aux études d'impact prescrites comme préalable à un projet majeur d'aménagement et ayant trait au respect intégral des savoirs allochtones et autochtones dans les domaines cynégétique, halieutique et esthétique, sachant que l'on cherche à connaître la dose acceptable d'atténuation là où le promoteur ne peut pas faire autrement que d'impacter, et que cette mesure corrective sera administrée en tenant compte de la vulnérabilité relative des systèmes, c'est-à-dire selon un processus dit de suivi environnemental qui, à coup sûr, devrait sauver la vie de la plupart des écureuils roux qui peuplent le territoire. Parlez-moi de la phase euphorique d'un surmoi.

J'en conclus que ce qui attaque le cervelet des mammifères supérieurs, ce qui vous déroute un béluga, un épaulard ou un bon gars, c'est un trop-plein de mercure d'une part, et la lecture de *L'Être et le Néant* d'autre part. D'où l'expression : il en a perdu son Robert.

BERNARD ARCAND

Les comédiens du groupe britannique Monty Python ont

joué une courte scène dans laquelle l'auteur d'un dictionnaire touristique anglo-hongrois se trouvait poursuivi en justice. Son crime était tout simple : dans son dictionnaire, les phrases dans une langue n'avaient aucun lien sémantique avec leur traduction. Par exemple, le pauvre touriste hongrois qui voulait demander comment se rendre à la Tour de Londres approchait un policier et lui disait : «Puis-je caresser vos belles fesses?» Les Italiens, qui semblent avoir depuis longtemps compris la difficulté, dénoncent tous les dictionnaires de traduction comme autant d'outils de haute trahison. Au moins depuis le début du siècle, les ethnographes savent que l'étude d'une société autre et d'une culture étrangère a pour base inévitable et pour limite fondamentale l'apprentissage de sa langue.

Il est facile de voir que les cultures n'insistent pas toutes nécessairement sur les mêmes points dans leur respect pour la langue et que ces différences se reflètent dans leurs dictionnaires. Ainsi, les dictionnaires des langues française et espagnole, parmi d'autres, ont presque toujours l'air d'ouvrages d'autorité, créés avec l'intention de sanctionner l'usage, et qui se permettent sans vergogne la fâcheuse tendance à oublier un nombre considérable de mots pourtant courants dans la vie ordinaire. Tandis que les dictionnaires anglais suivent la tendance inverse : gigantesques, ils essaient de ramasser tout ce qui a été dit dans l'histoire de la langue et, ainsi, finissent par contenir des quantités étonnantes de mots que les anglophones n'utilisent jamais, ignorent absolument et peut-être même rejetteraient volontiers.

Les résultats ne sont peut-être pas si différents, mais tout de même, on sent bien l'insistance sur les deux grandes impulsions distinctes et contraires qui sont le lot de tout fabricant de dictionnaire. D'un côté, une volonté certaine d'enregistrer et même de fixer les normes de la langue. De l'autre, le constat réaliste que les gens n'ont jamais pris l'habitude de se taire les jeudis après-midi, à l'instant où se réunissent les membres de l'Académie française, et que le mieux que l'on puisse espérer ou prétendre, comme disait Samuel Johnson, c'est de restreindre un peu la frénésie de l'innovation.

SERGE BOUCHARD

Tout ne s'explique pas et il faut laisser de la place pour les malentendus, disait Montaigne, dans une langue d'ailleurs assez grossière, la langue justement d'avant le monde des dictionnaires, à l'époque où le français avait encore gardé les belles rondeurs de sa jeunesse. Mais entre Montaigne et Jean-Paul Sartre, il y a des siècles de lumières. Le premier est un homme, le second est un concept à définir.

BERNARD ARCAND

Il ne serait pas surprenant qu'une recherche fine nous apprenne bientôt que les encyclopédies et les thesaurus furent inventés en réaction contre la bêtise du dictionnaire, c'est-à-dire dans l'espoir de donner un sens et d'enfin ordonner les choses de la vraie vie, plutôt que d'expliquer simplement chaque mot. Parce qu'il s'agissait de mettre de l'ordre dans le monde, dans le réel, et non plus simplement de placer tous les mots par ordre alphabétique, un ordre assurément pratique mais totalement vide de sens. D'ailleurs, dira-t-on, pas étonnant que les dictionnaires soient illisibles. Essayez, par exemple, de construire une phrase intéressante avec la page 1408 du *Petit Robert,* avec *millimètre*, *million*, *milord*, *milouin*, *mime*, *mimi*, *mimographe*, *mimosa*, *minable*, *minahouet*, *minaret*, *minauder* et *minceur*. Voilà treize mots dont le dictionnaire vous fournira tous les sens, dans une page qui n'en a aucun.

SERGE BOUCHARD

Procurez-vous le nouveau dictionnaire des langues sales. Vous saurez alors comment correctement médire, calomnier, bref, révéler des vérités. Il est encore possible de se spécialiser en achetant le dictionnaire des grandes langues, ces langues qui ne sont pas seulement bien pendues, mais qui sont sales en plus, ce qui permet aux vérités assassines de se répandre parmi le monde. Être ou avoir une grande langue, c'est pouvoir salir sur un très grand rayon. À la langue sale, à la grand-langue, vient s'ajouter la traditionnelle langue fourchue. Pas besoin de la définir, celle-là. Elle est sale, elle est généralement grande et comme son nom l'indique, elle est fourchue, ce qui nous rapproche de la langue du serpent.

Il est tant d'intentions, tant de situations, que la simple existence d'un dictionnaire nous rappelle à l'ordre des plus grandes dérisions. Car le dictionnaire prétend à la maîtrise du sens. Et le sens, cependant, échappe à cette tentative simpliste. Jankélévitch dit : «Ce que l'on conçoit bien ne s'exprime pas clairement; la brachylogie, l'enthymème, l'allusion, la réticence et le silence mystique peuvent être plus expressifs et plus suggestifs que la loquacité...» Ce qui tombe sous le sens. On ne définit pas des mots qui, par définition, échappent à la dictée. Une société envahie par les dictionnaires est une société affaiblie sous le rapport de la pensée. Et je ne dirai rien de son imaginaire.

VI

LA CHASSE

Première partie

BERNARD ARCAND

Les nouvelles de la préhistoire ne sont pas très bonnes, et il serait prudent de ne les annoncer qu'avec délicatesse et une certaine douceur. C'est que nous nous sommes longtemps crus les arrière-petits-descendants de quelques grands chasseurs, solides habitants de cavernes rugueuses et sévères. Même aujourd'hui, la plupart d'entre nous demeurons convaincus que nos ancêtres étaient de redoutables pourfendeurs de mammouths, de braves et féroces poilus toujours prêts à faire la guerre pour une lueur de feu et qui devaient bien être la terreur de tous les animaux et bestioles comestibles de la création. Nous aimons croire que nous nous sommes assagis depuis ces temps anciens, mais nous conservons avec un brin de fierté la conviction que l'humanité peut à l'occasion se montrer capable des plus nobles projets de chasse et des plus grandes battues.

Or certaines recherches récentes (comme d'aucuns disent) semblent indiquer, au contraire, que la vie quotidienne de nos lointains ancêtres n'était pas du tout ce que l'on imagine. Les préhistoriens modernes recherchent les façons de nous annoncer le plus délicatement possible que nos ancêtres furent, de fait, et pendant très longtemps, à peu près incapables de chasser leur gibier. Parce qu'ils étaient simplement trop faibles, trop lents, et surtout trop mal équipés. Par contre, ils étaient rusés comme des humains, ce qui leur a permis de survivre. Et c'est ainsi que l'on découvre chaque mois de nouvelles preuves attestant que ces gens des cavernes ont d'abord lancé notre carrière collective de carnivores en profitant du travail des animaux qui, depuis toujours, sont naturellement de bien meilleurs chasseurs que nous. Les spécialistes de la préhistoire semblent maintenant admettre couramment que la toute première forme de chasse menée par l'homme n'était pas une chasse véritable : nos ancêtres attendaient que le félin ou que n'importe quel autre animal chasseur tue sa proie, et alors, en groupe, ils faisaient beaucoup de bruit pour effrayer l'animal, le faire fuir et s'approprier tout simplement sa victime.

C'est donc dire que les premiers animaux mangés par nos ancêtres avaient d'abord été chassés et tués par d'autres animaux. Notre première viande était une viande déjà morte. Et nous sommes tous des descendants de charognards. Voilà la triste vérité. Nos glorieux ancêtres, pendant longtemps incapables de poursuivre et de tuer eux-mêmes le bon gibier, se comportaient comme de vulgaires vautours qui avaient tout juste le courage de faire peur au coyote.

Une fois accusé le choc initial, cependant, il faudrait peut-être se convaincre que cette nouvelle, au fond, n'est pas du tout attristante. Nos ancêtres (c'est-à-dire, par héritage, nous-mêmes) peuvent sortir en quelque sorte grandis de cette révélation de la science moderne. Au lieu de maintenir la croyance que nous avons traversé les millénaires difficiles de la préhistoire à grands coups de force brute et de courage aveugle, nous devrions nous réjouir d'apprendre que l'être humain a eu depuis si longtemps l'intelligence de comprendre que le bénéfice véritable vient toujours à ceux qui savent le mieux profiter du travail des autres.

SERGE BOUCHARD

La véritable compétence des chasseurs se situe entre les deux oreilles. La mise à mort est l'aboutissement d'un long processus mental. Il faut avoir la tête à ça, comme on dit, la tête aux animaux, la tête à la forêt. Manière de dire que la chasse ne s'improvise pas. Les chasseurs ont raison d'invoquer l'ancienneté de leur obsession. L'homme est chasseur, comme de raison. Au fil des millénaires, il a eu l'occasion d'en parler, d'en rêver.

Cependant, la chasse n'est plus ce qu'elle était. Activité spirituelle, on en aurait tué l'esprit. Et c'est à l'évidence par notre façon d'en parler qu'un observateur attentif verrait de nos jours une très grande différence entre ce qui était encore hier une parole d'homme des bois et ce qui est aujourd'hui un charabia d'homme de science.

Comme si l'agricole devait ajouter à l'injure, voilà qu'on ne chasse plus, on *récolte*. C'est un peu comme si nous avions ensemencé du boudin afin de faire pousser du cochon. Les orignaux sont enrôlés dans des *populations,* et il faut peu de temps pour qu'elles se métamorphosent en *stocks*. Si vous introduisez la notion de *flux,* ce n'est pas long non plus avant que les stocks se transforment en *ressources*. La gestion intégrée de la ressource originale consiste à *prélever* les *surplus* afin qu'ils ne pourrissent pas sur leurs pattes.

Le ministère du Chevreuil ayant dénombré, au terme d'un périlleux et ingénieux recensement, l'existence d'environ 76 854 chevreuils sur le territoire national, à l'exception des régions 08 et 04 où leur présence est anormale, illégale, inconcevable, il appert que la clientèle pourra récolter 22 % de la population mâle de plus de deux ans et demi. En général, Bambi est orphelin du côté de son père.

Depuis que le bon vieux garde-chasse est devenu un agent de conservation de la faune, l'orignal ne sait plus quoi choisir entre les reflets des carabines et l'ambition des fonctionnaires. Pour un orignal qui meurt dans les règles, il en est deux qui tombent dans le noir. Dans l'intervalle, les gestionnaires rêvent d'un système de contrôle où chaque orignal aurait sa feuille de route, la cuisse tatouée, et un collier émetteur par lequel il serait relié à un satellite stationnaire, stationnaire rimant très bien avec ordinateur de ministère. De la sorte, la bête abattue rapporterait d'elle-même les circonstances de son décès.

L'écureuil roux se gère désormais. Et si un jour tu mets du lièvre dans tes tourtières, attends-toi à recevoir par la poste un formulaire du ministère. Pas question de te pénaliser ou même de te couper l'appétit. Il appert seulement que ces trois lièvres étaient fichés. Pour que le *suivi* soit respecté, il faut que ces trois morts soient correctement colligées. Autrement, les statistiques seraient faussées.

Alors reposez-vous l'esprit. Il n'est plus dans les bois un seul coyote dont on n'ait à Québec le complet pedigree.

BERNARD ARCAND

D'autres l'ont dit déjà, la seule chasse vraiment noble, celle qui restera toujours digne d'un être humain, c'est encore la chasse à l'homme. Des films ont été faits là-dessus, on a imaginé des scénarios dans lesquels de futurs humains, blasés d'une vie trop confortable ou soudain honteux de toujours devoir massacrer les plus faibles, passeraient leur temps à poursuivre, à traquer et à éliminer leurs semblables. Car il faut bien reconnaître que l'homme demeure encore le meilleur gibier pour l'homme, et savoir apprécier combien cela rendrait la vie excitante que de se sentir sous la menace constante d'une attaque menée par un être assurément aussi « ratoureux » et méchant que nous. Bien sûr, en un sens, nous y sommes déjà et la prospective futuriste du cinéma ne fait que stimuler un sentiment déjà familier, puisqu'il correspond assez bien à l'inquiétude toute moderne de devoir traverser un parc, tard le soir, en automne. Mais dans un autre sens, il faut tout de suite mettre un frein à cette imagination mal maîtrisée et se rendre compte que l'idée d'une chasse à l'homme généralisée relève de la plus farfelue des sciences-fictions. Jamais la police ne tolérerait de telles licences et de pareilles agressions.

Par contre, une proposition qui paraîtrait beaucoup plus raisonnable pour l'avenir viserait à faire mieux comprendre à quel point nous sommes encore aujourd'hui, comme depuis quelques centaines de milliers d'années, demeurés des chasseurs. Une campagne d'information parmi ce qu'on appelle le «grand public» pourrait lui faire prendre conscience du fait banal que nous continuons aujourd'hui, comme autrefois nos ancêtres, à chasser et à tuer tous les jours, même si la viande qui en résulte n'a que la Cellophane pour bourriche. Ce serait même un programme judicieux pour la salubrité publique que de décréter que, désormais, tous les carnivores du pays devront obligatoirement, et pendant au moins une semaine chaque année, tuer de leurs propres mains tous les poulets, veaux, moutons et canards dont ils ou elles ont l'intention de manger la chair au cours des prochaines semaines. On peut déjà prédire que certaines personnes, dégoûtées par le sang ou écœurées par les viscères, deviendront sur-le-champ végétariennes. D'autres, par contre, connaîtront enfin le plaisir ancien de réussir à capturer un animal quand on a vraiment faim.

Serge Bouchard

On a longtemps prétendu, avec raison probablement, que c'est l'attrait d'une chasse libéralisée qui a le plus attiré nos ancêtres immigrants en ces terres d'Amérique, voici 350 ans. Les autorités métropolitaines et coloniales auraient bien voulu empêcher cette méchante habitude afin de prolonger le régime européen où la chasse était réservée aux maîtres et aux seigneurs. Mais ici, l'application de cet ordre s'est révélée impraticable. Voilà que les manants, les paysans, les serfs, les moujiks, les sans-abri et les sans-droits se comportaient comme des maîtres et des rois. Il y avait tellement de place, d'espace et d'animaux que les aristocrates y perdaient leur latin en même temps que leur autorité.

Nos ancêtres populaires et barbares se sont trouvés à l'aise, ils ont pris le bord du bois, comme on dit, c'est-à-dire la clé des champs. Et il a fallu laisser faire le peuple. Les chasseurs de Nouvelle-France étaient des révolutionnaires. À eux qui, dans les vieux pays, n'avaient droit ni au bois, ni au lapin, ni à la parole, il suffisait de tourner le dos au fleuve et aux dentelles pour retrouver les trois.

Le chasseur le plus solitaire vous le confirmera : il vaut mieux parler aux arbres et aux animaux, et même, à la limite, se parler à soi, que d'avoir à négocier avec une autorité de droit. C'est meilleur pour la forme, c'est meilleur pour la voix.

Il en est resté comme un vieux fond. Cela s'appelle la liberté et l'impertinence. L'appel de la forêt, « *the call of the wild* », se trouver à l'aise dans les bois sauvages, tout cela est une injure à l'artifice injurieux d'une société dite cultivée. Tous les chasseurs transgressent un jour ou l'autre le droit royal de la propriété, les clôtures barbelées de la terre cultivée.

BERNARD ARCAND

Je suis l'heureux propriétaire d'un magnifique couteau de chasse. Je possède par ailleurs un sous-vêtement chaud et une paire de grandes bottes. On trouverait aussi chez moi deux fusils de chasse, et je garde encore une vieille veste qui camouflerait sans doute n'importe qui dans les feuillus d'automne. J'ai en plus un chapeau qui conviendrait parfaitement pour un safari à l'antilope cornue. Et il y a même dans ma maison un petit filet à papillons, quelques hameçons et, dans un coin, un vieux chien qui rêve de gibier surpris ou mortellement essoufflé. Quoique je ne sois pas très fort en dépeçage et en démembrement, je sais quand même égorger et suis tout à fait capable de vider, plumer ou dépouiller mes victimes.

Pourtant, je ne chasse jamais. Je n'ai ni permis de chasse ni intention de m'y livrer. Tous ces accessoires me furent légués en héritage. Je reste néanmoins très bien équipé. En fait, depuis des millénaires, nous sommes tous très bien équipés. Et nous avons tous reçu le même héritage. Ainsi armés jusque bien au-dessus des dents, nous pouvons à tout instant devenir dangereux, surtout les jours où l'on commence à imaginer des choses. Nous sommes donc condamnés à vivre sous la menace permanente du braconnage. Et pour assurer la paix, alors que certains partent en chasse aux fusils de chasse, d'autres préfèrent insister pour nous amener à reconnaître en nous l'instinct du tueur et, dès lors, apprécier tous ces chasseurs qui, fatigués de trop de retenue, vont parfois dans la nature pour y laisser leur trace. Comme si la solution durable exigeait d'admettre d'abord qu'il y a dans toute vie des jours où, de bon matin, on ferait sans doute beaucoup de mal à une mouche.

SERGE BOUCHARD

Chasser, c'est tuer, c'est chercher à tuer. Ne serait-ce que pour cela, la chasse est bel et bien un simulacre de la guerre. Elle ramène l'être à sa fonction première, qui est de tuer pour vivre. Vieux débat de société où les prêcheurs innocents crient au scandale, mais n'hésitent pas à recourir aux tueurs s'ils se sentent menacés. C'est un cas de conscience. L'être humain, en raison de son intelligence, est un dangereux prédateur. Car il n'est rien de plus effrayant qu'un prédateur intelligent. En voilà un qui s'adapte à tous les territoires, à toutes les conditions, à toutes les proies. En fait, tout ce qui vit est une proie potentielle.

Considérez ceci : sur son poteau de clôture, le tyran tritri guette les mouches et les moustiques, mais il ne prête aucune attention à l'écureuil. L'épervier tue des écureuils et des tyrans, mais il n'a cure des mouches. Le loup, quant à lui, tue ce qu'il peut tuer, mais il connaît bien ses limites. Rares sont les lynx qui piègent le grizzly pour le saigner.

Mais l'homme est différent. Je pense donc je tire sur tout ce qui bouge. Nous ne savons pas assez que le code civil paléolithique comportait 3 628 articles relatifs aux droits des proies et du gibier, aux règles de poursuite et de partage, aux territoires et sentiers, aux façons de faire et de penser, de parler et de rêver, de se camoufler et de marcher.

C'est que l'homme a pris conscience de son cas de conscience depuis toujours. Lui qui peut tout est capable du pire. Il peut tuer des mouches, des écureuils, s'attaquer au loup et au tyran, à l'épervier et au moineau. Il peut violer des territoires, transgresser toutes les règles, et finalement prendre son frère pour cible.

Voilà pourquoi le code civil paléolithique comportait tant d'articles. Il est malheureux que ce code ne soit toujours pas refondu. Car si l'homme n'était qu'un loup pour l'homme, cela irait, le loup étant une bien bonne bête dans le fond. Non, l'homme est un chasseur pour l'homme, et cela est bien pis, car chasser, c'est tuer, c'est enlever la vie, c'est accomplir l'irréparable et franchir le seuil de l'irréversible. Nul ne le fait sans quelques bonnes raisons et cela doit se faire dans les règles. Autrement, nous risquerions de nous faire très mal.

BERNARD ARCAND

Méfiez-vous des hommes qui proclament la grandeur et la noblesse de la chasse. Méfiez-vous des trophées et des massacres, tout autant que des récits et des panaches. Prenez garde à ceux qui disent avoir trouvé un ressourcement dans la bête lumineuse ou qui prétendent avoir été fortifiés par la perdrix grelottante de frayeur, par le canard désorienté ou le chevreuil sanglant. Tous ces individus sont des imposteurs, sans doute sincères, mais pour qui la chasse n'est qu'un loisir.

Les vrais chasseurs, c'est-à-dire les membres de sociétés qui pour se nourrir dépendent exclusivement des produits de la chasse, de la pêche et de la cueillette, tiennent rarement ce genre de discours. Quand la chasse n'est pas encore réduite à une activité de fins de semaine et devenue un sport de suréquipement, et si l'on n'habite pas un désert de sable ou de glace en Australie ou dans l'Arctique, la chasse peut facilement être comprise comme une activité tout à fait banale et ordinaire. Car aller chasser, c'est aller chercher la nourriture de la journée ou de la semaine, une tâche familière qui possède le statut de routine. Bien sûr, il restera toujours la frénésie annuelle des grandes migrations de caribous, d'oies sauvages ou de saumons, mais en dehors de ces saisons exceptionnelles, en temps normal, la pratique de la chasse devient simple habitude : l'acte de rapporter du gibier pour nourrir la bande n'est guère plus excitant que n'importe quel autre élément de train-train quotidien. Par exemple, sur une période de dix-neuf mois, dans une société des basses-terres de l'Amérique du Sud qui assurait tous ses besoins alimentaires par la chasse et la cueillette, j'ai demandé aux hommes qui partaient à la chasse quel gibier ils allaient poursuivre : dans 65 % des cas, le chasseur rapportait exactement ce qu'il avait prévu; 20 % des fois, il revenait avec un autre gibier; ce qui laisse donc une probabilité de seulement 15 % de revenir bredouille. Dans de telles conditions, la chasse a plus l'air d'une visite à l'épicerie que des glorieuses sorties de ces urbains modernes partant à l'aventure sauvage dans une nature qui les aurait prétendument appelés.

Ce n'est donc pas dans les sociétés de chasseurs-cueilleurs que l'on rencontrera les grands hymnes à la gloire de la chasse. C'est plutôt ailleurs, dans des sociétés où son importance diminue quand débute l'agriculture. Certains diraient : un peu plus tard dans l'histoire de l'humanité. D'autres ajouteraient que dès que l'on vante les grands mérites de la chasse, c'est qu'il est déjà trop tard, l'activité est devenue secondaire. Le changement est notable au moment où la société devient sédentaire, quand elle quitte de moins en moins ses jardins et quand, typiquement, les femmes, autrefois cueilleuses et maintenant jardinières, commencent à assurer une part grandissante du régime alimentaire collectif. C'est alors que l'on voit naître, typiquement chez les hommes, les premiers beaux discours à la gloire de la chasse. Dans un monde en transformation, quand la nature sauvage s'éloigne parce que de nouvelles sources d'alimentation sont maîtrisées qui seront désormais domestiques, donc quand le rôle social des hommes pourvoyeurs s'atténue, apparaît le besoin de clamer tout haut ce qui va devenir un glorieux mensonge : la chasse importe, la chasse est noble et majestueuse.

Il faudrait croire que c'est là une conviction profonde, en même temps qu'une démarche publicitaire, puisque les énoncés à la gloire de la chasse n'ont apparemment jamais varié depuis quelques millénaires. De nos jours, les plus authentiques et sincères fanatiques des expéditions dans les vastes étendues canadiennes habitent surtout Paris ou New York et sont de ceux qui vivent comme une aventure coutumière la chasse aux loyers à prix raisonnables, et dont les trophées témoignent avant tout d'une capacité à débusquer la place de stationnement inattendue.

...

L'histoire n'a pas retenu le nom de l'inventeur de l'expression : « Qui va à la chasse perd sa place ! » Probablement un enfant qui voulait s'approprier le siège d'un autre parti faire pipi. Ou son équivalent. Quoi qu'il en soit, la formule sonne creux et paraît fausse. Il serait aujourd'hui de meilleur ton d'énoncer plutôt : « Il faut aller à la chasse pour se trouver une place ! » Autrefois, la chasse était menée normalement contre l'extérieur : on chassait les animaux sauvages ou encore, dans les cas assez rares de chasseurs de têtes, on pourchassait les ennemis, qui de toute façon ne valaient guère mieux que des animaux, sauvages et inhumains. Mais de nos jours, on fait surtout la chasse à l'emploi ou au partenaire, on chasse l'ennui comme les indésirables, on a même inventé la chasse d'eau et la chasse-galerie. Les chasseurs de têtes modernes essaient de vous recruter pour un poste prestigieux et leurs tableaux de chasse accueillent surtout les cadres supérieurs. Et l'on répète couramment que cette jungle n'est pas facile, que chacun détient son permis et s'imagine être un fauve lâché. Toutefois, on croit savoir aussi que toutes les chasses sont bien gardées et que le chasseur qui va à la chasse cherche sa place comme son chien. Et tout cela probablement parce que, dicton pour dicton, c'est peut-être vrai au fond qu'il revient au galop.

SERGE BOUCHARD

Le canard sauvage est le plus bel oiseau qui soit. Il tient la forme, il a de magnifiques couleurs, il existe dans toutes les variétés, sa mentalité est attachante, il nous inspire une tranquille curiosité et il voudrait picosser, le pauvre, qu'il ne le pourrait pas, tant son bec spatulé se prête mal à l'idée d'impressionner. L'espèce est ancienne et son histoire se perd dans la nuit des marais. Mais voilà une bête qui investit dans la tendresse et le duvet. Le canard sauvage est le symbole de l'amour, car il s'accouple pour toujours. Il est imperméable aux aléas de l'évolution. Ses voyages et ses migrations nous dépassent autant qu'il nous double du simple fait que le monde du canard se situe en deçà et au-delà des grandes concentrations humaines. Les canards vivent au sud, ils aiment au nord et il est connu que, dans la formation des jeunes canards, les plus vieux insistent sur l'importance, en passant au-dessus des métropoles, de ne jamais regarder en bas, de relever le cou plutôt et de conserver son énergie afin de traverser au plus vite cette zone affairée qui ressemble à l'enfer lorsqu'on la voit du haut des airs.

Silhouette tendre, raffinée, peut-être même heureuse, dont la reproduction en bois sculpté fait le bonheur du collectionneur. Cependant, sa beauté ne le protège en rien. Tous les automnes, nous nous faisons un devoir de nous déguiser en quenouilles afin de joyeusement le canarder, de lui opposer un véritable barrage de D.C.A., comme si le V du canard était un défi dans le ciel, l'initiale de notre vanité.

Plus le canard vieillit, plus il perd de l'altitude, jusqu'à ce qu'il frôle le sol, je parle de sa fin. On en a vu atterrir sur des pistes d'asphalte, se croyant sur un lac à cause du reflet. Imaginez la fouille, la culbute et la surprise. Lorsqu'un canard se trompe, se relâche et perd le nord, il est fait comme un rat. Car, pour sa sécurité, il n'a que sa routine, ses trajets ancestraux qui ne peuvent pas varier, ses mares retirées, la force de sa tranquillité.

Une vieille cane volant trop bas, au ras de l'asphalte pour ainsi dire, se fit happer par une voiture filante alors qu'elle traversait l'autoroute en compagnie de son vieux mâle qui, lui, se sauva de justesse du fait qu'il la précédait de peu. Décapitée, elle roula dans le fossé qui, à cet endroit-là, fait une manière de longue mare. Et son mâle s'y posa tout de suite en espérant qu'elle se relèverait de ce mauvais coup et qu'elle s'arrêterait d'être morte. Ayant vu tout ce qui venait de se passer, un corbeau s'approcha en sautillant sur le gravier qui borde les routes, insensible aux voitures qui le frôlaient, absorbé par cette charogne qu'était soudainement la cane devenue. Le canard attendait, pour rien. Allait-il repartir, défendre un souvenir, ou bien à son tour trouver le moyen de mourir ? Il n'avait manifestement pas la force de prendre ses distances, de jouer la carte du ciel, de se refaire un pan de vie.

Comment meurent les canards quand, année après année, les chasseurs et les prédateurs n'arrivent pas à les tuer ? Qu'arrive-t-il au canard par un malheur durement frappé ? Voilà des questions qui ne nous intéressent guère depuis que le temps de canard n'est pas par nous très apprécié. Mais combien importante cependant la reconnaissance qu'il est pour chacun de nous un ultime fossé d'où l'on ne ressort pas, une mare funèbre qui est le miroir d'une mort qui s'en vient nous chercher. Souhaitez que la vie vous abandonne au moment où la mort se trouve à passer. Car autrement, songez au canard. Nous risquons de la trouver bien longue, la dernière soirée.

VII

LA CHASSE

Seconde partie

SERGE BOUCHARD

J'ai pour le chasseur d'orignal le plus grand des respects. Car pour chasser cette bête-là, il faut soi-même être orignal, du moins un peu sinon pas mal. Le chasseur d'orignal est sauvage et studieux. Il est nécessaire de connaître le territoire, le terrain et les signes, de remarquer le va-et-vient des bêtes, il est obligatoire de se mettre dans leur peau. Or cette peau est épaisse. L'orignal est un animal de la préhistoire. Il a la couenne dure. C'est le roi de la taïga, relique vivante des temps glaciaires, contemporain du mammouth et du rhinocéros laineux, parfaitement adapté à la vie longue et solitaire, les quatre pattes dans la boue noire des tourbières, au milieu des chicots et des mélèzes.

Pour le bien chasser, il faut se convertir à la religion de l'orignal, qui est une vieille croyance païenne, mystère des bois les plus profonds. Tous les chasseurs d'orignaux que je connais ont le regard absent. Ils ont la tête ailleurs. Un esprit les anime qui n'est celui de personne. Ils aiment les pluies d'automne, la petite glace et le frimas, les épinettes et la misère.

Dans ces forêts reculées, en septembre et en octobre, on se croirait hors du temps. Il y règne une atmosphère, il y a des éclairages et des lumières, des sortes de brouillards et des manières de froid qui ne se retrouvent pas ailleurs. Les chasseurs d'orignaux partagent ce secret : des morceaux de bonheur circulent dans les bois.

Pour s'approcher de l'orignal, il faut feindre d'être lui, briser des branches, pisser dans l'eau, brailler de désir, se faire passer pour un rival panaché ou pour une femelle en chaleur. Lorsque le gros buck descend de la montagne, du pas lourd et rapide de la mauvaise humeur, renversant avec fracas les petits sapins et les maigres bouleaux, lorsque vous l'entendez venir bien avant de l'apercevoir, en sachant qu'il s'en vient vous monter ou encore vous détruire, alors il n'y a plus lieu de rire. Vérifiez votre carabine et ajustez bien votre tir. Sortez les haches, les couteaux, les arbalètes, les lances, les pieux et les massues. La bête arrive. Il n'y aura pas de prisonniers.

Les vrais chasseurs d'orignaux ne montrent pas leur prise. Ils la mangent plutôt discrètement, en partageant cette bonne viande sauvage avec quelques amis.

Or, il est intéressant de noter jusqu'à quel point l'orignal est une bête méconnue. L'histoire de la nature n'est pas celle de l'humanité. L'orignal est précisément hors de l'histoire. Ceux qui le chassent savent apprécier son territoire. Et ce territoire est bel et bien le nôtre, celui dont on a hérité. Si ce n'était des chasseurs d'orignaux, personne ne saurait l'apprécier.

BERNARD ARCAND

On peut le plus naturellement du monde ne pas aimer la chasse. Et défendre l'opinion qu'il s'agit là, en somme, d'une activité peu sportive ne convenant qu'à des sanguinaires frustrés qui, bedaines grosses et panses pleines, s'accordent le droit de décider par eux-mêmes quand un animal doit mourir. Le droit de choisir d'exterminer un être vivant pour le seul plaisir que cette mort procurera au tueur. On arrive ainsi rapidement à la conclusion que les chasseurs sont des brutes, et la chasse une grande cruauté. Pourtant, le procès de la chasse n'est jamais aussi simple, et l'accusation demeure trop facile.

Car il faut d'abord admettre qu'il existe toutes sortes de chasses, que nous sommes tous des chasseurs, que le gibier est multiple et que toutes les chasses ne se valent pas. Lorsqu'une vedette de cinéma à la retraite déclare qu'il faut protéger tous les animaux de France et que, dans le même souffle, elle ajoute qu'il faudrait par contre en éliminer tous les Arabes, la vieille est en chasse, elle connaît son gibier, elle semble prête à tuer et on dirait qu'elle espère un massacre.

Malgré les oppositions à la chasse et les querelles toujours possibles sur le sens des mots, la seule chasse dont on devrait pouvoir dire qu'elle demeure dans tous les cas absolument déplorable, c'est la chasse aux sorcières. Faisant maintenant partie des expressions communes, la « chasse aux sorcières » se trouve couramment illustrée par un exemple devenu classique et qui nous vient des États-Unis, au début des années cinquante, quand le gouvernement de l'époque (en particulier le jeune et très prometteur Richard Nixon) entreprit la poursuite systématique et la persécution organisée de ses opposants gauchistes : des syndicats jusqu'au cinéma, de l'école à l'armée, tous sentaient et craignaient la volonté claire, ferme et supérieure d'exterminer les ennemis internes et jusqu'au dernier proche parent ou ami lointain de l'ultime communiste. Ailleurs, d'autres gouvernements organisent d'autres poursuites contre un autre gibier, mais l'intention reste partout la même : quand on ne peut rien contre le diable lui-même, il ne reste plus qu'à s'attaquer à ses sorcières.

L'expression «chasse aux sorcières» survit parce qu'elle exprime de manière commode la terreur d'une autorité trop puissante qui distribue gratuitement les culpabilités et prend les moyens d'organiser la persécution. Par contraste, les aimables chasseurs d'animaux tant décriés, ceux qui disent aimer la nature, gardent au moins le mérite de vouloir toujours s'assurer que l'an prochain les oies reviendront, que le caribou aura suffisamment à manger pour passer l'hiver et que le poisson aura les moyens de retrouver sa frayère. Les Arabes, eux, sont mis à la porte et les sorcières, brûlées.

SERGE BOUCHARD

Plus la chasse est pratiquée par des gens riches et cultivés, plus elle devient sauvage et sans quartier. Prenez la chasse à courre, les safaris de bêtes privées. Achetez-vous un lion de cirque à la retraite et tirez-lui une balle dans l'oreille avant même qu'il ne sorte de sa cage de livraison, cela vous reviendra moins cher que d'aller au Kenya pour y corrompre un fonctionnaire. Revoyez les images de ces gouverneurs britanniques qui, dans la région du Bengale, embauchaient des villages entiers afin qu'ils rabattent le tigre vers des terrains découverts où l'Anglais héroïque pouvait tirer du haut d'un éléphant ce félin superbe qui, de toute manière, serait mort de déception en se voyant se faire assassiner par de semblables ridicules. Ici, le ridicule tue, il tue le vrai chasseur, le tigre, un tigre désarmé devant pareille battue.

Songez aux renards poursuivis par des meutes de chiens, de chevaux et de cavaliers portant casquette. Et l'on se demande encore pourquoi ils ont la rage, les renards ! Jusqu'aux chevreuils qui sont victimes de ces chasses à l'essoufflé. On dit des rabatteurs que ce sont des chiens. Il est probable que c'en sont bel et bien. Quoique cela ne soit pas très gentil pour les chiens.

BERNARD ARCAND

La chasse offre un commentaire de l'humain. Entre le chasseur et son gibier, il y a chaque fois les armes, la ruse et toute la mémoire du monde. Entre les deux, il y a la fonction symbolique, l'imaginaire, l'appétit, toutes les questions de goût, et la paresse.

En Afrique, ces gens qui hier encore se laissaient appeler «pygmées» et dont la petite taille étonne depuis longtemps sont dans leurs forêts d'admirables chasseurs d'éléphants, alors que plus loin, les très grands Tutsi, dans leurs plaines, chassent peu et à peine quelque gibier dérisoire. Il faut être très ignorant de la chasse pour croire que c'est là affaire de brutes, de machos et de gros bras. Même le colossal Rambo doit son succès principalement à la finesse et à la minutie des ingénieurs et des artisans qui améliorent constamment sa mitraille et ses explosifs. On les imagine petits, vieux, fragiles, minutieux, maigrelets, myopes, fumeurs, fins, et généralement assez peureux.

SERGE BOUCHARD

Quand les hommes parlent de chasse, ils en rajoutent toujours. C'est dans la nature du mâle que d'en mettre plein la vue. Il a fondé sa réputation sur le gros gibier, sur la viande rouge, sur l'exploit, sur les panaches et les trophées. C'est devenu un réflexe que d'ainsi se gonfler le poitrail, d'élargir les épaules, d'augmenter les distances, les misères et les difficultés. En se réservant le gros gibier, le mâle se réserve le gros de l'histoire.

Souvenez-vous de Davy Crockett apercevant un lion de montagne en train de poursuivre un chevreuil. En visant une grosse roche sise entre le poursuivant et le poursuivi, Davy Crockett tire avec sa carabine. La balle atteint la roche tel que prévu, se fend en deux par le milieu et touche mortellement les deux bêtes en même temps. Avec une seule balle, Davy Crockett atteint le cœur des deux animaux qui ne sont pas au même endroit. Ce faisant, il envoie Robin des Bois et Guillaume Tell se rhabiller. Et du Kentucky au Delaware, on chantera pendant longtemps dans les chaumières l'exploit d'un chasseur aussi habile, devenu derechef un chasseur légendaire.

Le mâle a toujours su qu'il n'avait rien pour plaire. Le voilà, galérien, sur la chaîne du spectaculaire, condamné à être beau, à être fort, à se tenir dans la nature comme le roi des prédateurs. Il y aurait comme une ligue universelle, intemporelle, de la condition mâle sur la planète : sur le sentier de ses chasses, sur le chemin de ses guerres, dans ses amours comme dans sa vie tout court, l'homme est aussi tendu que la corde de son arc.

Depuis qu'il a rencontré les furieux mammouths, il est complexé; il sait que la chasse au gros gibier n'est pas une chasse sûre. Revenir bredouille, voilà la hantise du chasseur. Ne pas être à la hauteur d'un gibier qui représente la difficulté, voilà la peur du mâle.

Les hommes qui aspirent à toutes les légendes en reviennent très souvent humiliés.

BERNARD ARCAND

Un ancien ministre de la Défense nationale, M. Gilles Lamontagne, avait un jour été vu à la télévision après une brève excursion dans un avion de type F-18; c'était à l'époque où le Canada faisait semblant d'hésiter avant d'acheter aux USA plusieurs F-18, avions de chasse modernes et reconnus pour être capables de porter la mort loin et très vite. M. Lamontagne, en descendant de l'avion, avait dit pour la caméra que l'expérience lui avait paru comparable à celle de faire l'amour. Dans ses mots bien à lui, il avait annoncé : « C'est comme faire l'amour ! »

Il serait utile ici de prendre garde et de faire attention à ne pas confondre les genres. Les avions de chasse et le sexe sont-ils vraiment si proches ? La question se pose d'autant plus que le cinéma américain nous a proposé une équation apparemment semblable en confiant, il y a quelques années, le rôle principal du Top-Gun pilote d'avion de chasse au très sexy Tom Cruise. Pourtant, il semble qu'il n'y ait pas de pareil lien entre le sexe et la chasse. N'écoutez plus les psychanalystes, oubliez les luttes entre Éros et Thanatos, il n'est pas du tout ici question de jouissance face à la mort, ni de découvrir sa propre finalité par le sexe. Ce n'est pas de cela que parlait notre ministre.

Rappelez-vous plutôt la déesse Artémis, celle dont le palais, à Éphèse, a déjà été classé « merveille du monde », et qui, à Rome, deviendra la célèbre Diane chasseresse. L'Artémis grecque était déesse des animaux sauvages et le grand Homère parle d'elle comme de la « maîtresse des animaux » et la patronne de la chasse. Les sculptures anciennes montrent Artémis (ou Diane) presque toujours munie d'un carquois et d'un arc, accompagnée d'un chien ou d'un cerf. Ce qui est tout aussi important, mais peut-être moins connu, c'est que la déesse était en même temps la patronne de la grossesse et de la maternité ; à Rome, on invoquait Diane pour assurer la fertilité ou pour faciliter un accouchement.

Mais ce n'est pas tout. On raconte en plus que les danses du culte d'Artémis étaient extrêmement lascives, voluptueuses, cochonnes même. Le culte faisait une bonne place au corps, à sa beauté et à sa jouissance. Pourtant, paradoxe apparent, malgré cette sensualité, et malgré l'association avec la fertilité et la reproduction, les anciens prétendaient aussi qu'Artémis et Diane étaient chastes, que ces déesses ne faisaient jamais l'amour. Homère explique qu'Artémis était imperméable aux tentations d'Aphrodite justement parce qu'elle était trop passionnée de chasse. Comme si elle avait eu le choix simple entre chasse et sexe, deux façons reconnues de nourrir la société et d'assurer sa survie. Ainsi, la mythologie grecque affirmait clairement l'idée que la passion de la chasse constitue un bon équivalent du sexe et, même, que dans les deux cas, le résultat aiderait la fertilité et la reproduction de l'espèce.

Voilà sans doute le sens profond des sages paroles du ministre Lamontagne. S'envoyer en l'air dans un avion de chasse est effectivement comparable à faire l'amour. Il n'est donc pas surprenant de voir le nombre important de chasseurs qui, par conséquent, quittent leur foyer pour s'enfuir dans les bois afin d'échapper à leurs responsabilités sexuelles.

SERGE BOUCHARD

Le chevreuil est un animal magique. Il a une âme tempérée, végétarien sans malice qui va sans autre défense que sa façon de fuir, de bondir, de courir. C'est une proie facile, la victime par excellence, convoitise des coyotes, des loups, des chiens errants, des psychopathes urbains, des voitures et des camions, des braconniers du coin.

Cerf de Virginie, devenu chevreuil d'Anticosti, cet immigrant à queue blanche atteint chez nous les limites de sa résistance. Mâles magnifiques dont la superbe le dispute à l'élégance, petits daims tachetés qui suivent des mères attentionnées, leur destin tragique est à la mesure de leur beauté magique. Dans la brume du matin, il n'est rien de plus beau que d'en apercevoir un quatuor en train de gambader dans le recoin d'une clairière sauvage. Ils ont des pattes si fines que l'on croirait qu'ils vont à tous moments se les briser. Si Brigitte Bardot les connaissait mieux, elle n'en aurait que pour eux. Elle n'en dormirait plus, la pauvre. Les bébés phoques seraient vite démodés. Car ici, en novembre, tous les tueurs professionnels se réunissent pour faire la peau à Bambi.

BERNARD ARCAND

Les chasseurs n'ont jamais su chasser sans leurs chiens. Si un jour on arrivait à connaître tous les détails de ces innombrables chasses de la préhistoire qui ont gardé l'humanité en vie durant des millénaires, on découvrirait enfin les milliers de chiens bâtards et courageux qui ont toujours permis à nos ancêtres de débusquer leur gibier. On verrait combien nombreux sont les chiens qui ont poursuivi notre viande et couru dans les plaines et les savanes avant d'arriver à la création du lévrier moderne, tous ces pointeurs inlassables qui nous ont montré d'où provenaient les craquements soudains d'un buisson, les golden retrievers morts de pneumonie à la suite d'un bain dans des eaux trop froides, les terriers dégoûtés de la boue, et les braques rendus fous par l'odeur des herbes. En suivant le fil de l'histoire, on apercevrait un peu plus tard les chiens prétendument bergers mais qui sont de fait chasseurs de brigands et de tous les ennemis du maître policier. Et ensuite, les célèbres chiens que le tout petit et très frêle M. Doberman, collecteur de taxes, transforma un jour en féroces chasseurs de mauvais citoyens. Qui sait ce que demain nous réserve ? Même le chihuahua, bien entraîné, pourrait apprendre à chasser le papillon.

Les chiens sont indissociables de la chasse. Pendant des millénaires ils ont débusqué, poursuivi, fatigué et rabattu notre gibier. C'est dire que nous leur devons la vie. Ce qui explique probablement combien les liens qui nous unissent sont anciens, omniprésents et immuables. À tel point que le fait de flirter avec l'épouse d'un autre se dit parfois « braconner », ce qui veut dire, bien sûr, chasser sans permis et sans autorisation, mais le mot « braconner » vient de « chasser avec des braques ». Bref, chez nous, même l'infidélité matrimoniale est une histoire de chiens.

SERGE BOUCHARD

Parlons des Innus, ou mieux, des Innuat, qui sont les Montagnais du Labrador, comme chacun le sait ou devrait le savoir. Parlons de l'Innu Astsi proprement dit.

Les anthropologues ont beaucoup prêté l'oreille aux dires des chasseurs. Si bien que ce monde est devenu un univers de caribous, de festins et de poursuites, où l'on découvre des hardes entières, où l'on se gave de plaisir. Le paradis est un terrain de chasse heureux.

Mais si les anthropologues avaient eu plus d'oreille, ils auraient entendu les femmes ricaner. Les sociétés de chasseurs sont souvent des sociétés de chasseresses. Et les femmes de comprendre que le paradis pour leurs hommes doit bien être un terrain de chasse heureux, là où ils n'auront plus à mentir sur leurs prises, à fantasmer sur leur désir, à revenir bredouilles.

Car, dans l'intervalle, c'est la petite chasse qui a toujours sauvé la mise. Voilà pourquoi la petite chasse est la plus grande en vérité. Chez les Innus, cette petite chasse était le fait des femmes.

Pendant que les hommes chassaient l'improbable sur de longues distances, les femmes prenaient le lièvre au collet aux alentours de la maison. De même, elles attrapaient des perdrix et tuaient des poissons. C'est qu'entre deux trophées il fallait bien manger.

Ainsi, ce peuple du caribou fut en réalité le peuple du poisson sous la glace. Cette société de chasseurs, une société de chasseresses. Et les femmes s'occupaient de l'ordinaire, tuant les animaux et faisant le bouilli. Fricassée de lièvre, de porc-épic, de perdrix, bouillabaisse et poisson.

La femme, maîtresse du collet, du filet, de la corde et de la pendaison. Chasseresse cultivée qui entretient la vie aux alentours, parce qu'elle sait trop bien que neuf fois sur dix son homme s'en revient bredouille. Princesse de l'intervalle qui, de son prince du moment, remonte constamment le moral.

Chez les Innus du Labrador, la petite chasse est le fondement de la philosophie. La vérité de celles qui restent et font durer finit par protéger le mensonge de ceux qui sont toujours partis.

SERGE BOUCHARD

Le plus gros ours connu du monde, un Kodiak mesurant trois mètres de haut, debout devrais-je dire, et pesant 500 kilos assis, a été tué en 1956 dans le sud de l'Alaska par une vieillarde quasiment aveugle qui revenait de sa tournée de lièvres. Surprise sur le sentier par cet ours arthritique et colossal, elle l'a tué d'une seule et petite balle dans une partie faible située entre les deux yeux.

Et la vieille métisse de s'en retourner à sa cabane en se demandant pourquoi Dieu a décidé de mettre sur la Terre des animaux aussi gros qui viennent se mettre en travers de votre chemin et qui, une fois tués, sont bien malcommodes à déshabiller, à dépecer, et à transporter. La viande de l'ours est excellente, mais un ours entier, un ours même petit, c'est beaucoup trop pour une femme seule, une vieille veuve portée surtout à grignoter. Ce grand exploit était pour elle une contrariété.

BERNARD ARCAND

On entend dire parfois que certains indigènes refusent de se laisser photographier. Qu'il est interdit de les prendre en photo parce que, selon ces gens, l'appareil serait l'invention d'un esprit malin qui cherche à capter leurs âmes et qui les fait chaque fois mourir un peu.

Une telle réaction en amuse plusieurs, et pourtant ces indigènes ont bien raison. La photo capture l'instant, elle fixe pour la postérité, elle immortalise le moment et elle agit donc comme une véritable machine à arrêter le temps. Sur une photo, la vie ne continue plus. L'instant capté sur pellicule sera éternellement identique à lui-même. On a même entendu des photographes placer leurs sujets et leur conseiller de ne plus bouger : « Faites le mort embaumé... souriez ! »

D'autre part, nous savons que chasser, c'est tuer. Il paraît donc tout à fait juste et approprié de parler de chasseurs d'images ou de safari-photo. Et les indigènes ont bien raison de s'en inquiéter.

VIII

LES MOUCHES

SERGE BOUCHARD

Si la vitesse vous grise, faites le rêve que vous êtes une mouche. Faire une plongée en piqué entre le plafond et le plancher, cela vous décoiffe une mouche. Toute proportion gardée et tout étant égal par ailleurs, imaginez. Ce qu'elle peut être rapide, la mouche !

Il y a plus. Sachons que les mouches font l'amour en volant. Elles seules peuvent vraiment dire qu'elles s'envoient en l'air.

BERNARD ARCAND

Sous l'appellation générique de « mouche », il y aurait aujourd'hui dans le monde quelque 85 000 espèces particulières de bestioles répandues presque partout, depuis la région sud-arctique jusqu'aux tropiques, du sommet de la plus haute montagne jusqu'au niveau de la mer, et parfois même assez loin au large au-dessus de l'océan. Il y aurait donc des millions de mouches sur Terre, qui se rendent utiles en nourrissant les hirondelles des faubourgs ou, comme la drosophile, qui doivent être tenues personnellement responsables des grands progrès de la recherche moderne sur la génétique. D'autres sortes de mouches, par contre, nous rendent malades, affaiblissent les animaux ou nuisent aux plantes. Certaines, comme la mouche tsé-tsé, sont même assez connues et quasi célèbres. Toutefois, en pratique, une seule mouche m'inquiète et m'intéresse plus que toutes les autres.

Si la mouche tsé-tsé est généralement reconnue comme celle qui donne le sommeil, la mouche qui m'intéresse est une anti-tsé-tsé. Car je veux parler ici de cette mouche qui, au moment où vous entrez dans la chambre à coucher, se tient parfaitement silencieuse derrière le rideau ou accrochée à l'arrière d'un cadre ou d'un miroir. Sans un bruit, elle retient son souffle. Elle sait attendre. Et un peu plus tard, quand la lumière est éteinte et que le sommeil approche, alors elle sort de sa cachette. Très précisément au moment exact où l'on peut entendre une mouche voler, elle commence à bourdonner doucement dans la pièce en suivant les règles très anciennes du modèle classique de la mouche « achalante » : un bourdonnement léger qui s'approche, puis s'éloigne, un vrombissement aigu, suivi de quelques instants de silence. Enfin, elle se pose un moment sur le drap, quelque part au plafond, ou précisément sur l'oreille ou l'oreiller. Elle atterrit sur le poignet chatouilleux ou entre deux orteils, dans le creux de l'épaule, sur le côté d'un genou ou à l'arrière du cou. Les techniques peuvent varier selon la saison, la quantité de couvertures et la qualité des pyjamas, mais, en gros, on sent que toutes ces formes d'approche se sont perfectionnées progressivement au cours des siècles pour offrir aux mouches le plaisir de déjouer des costumes variés, des ténèbres sans électricité et des méthodes douteuses de conservation des viandes, sans compter les milliers de prisonniers crucifiés sans défense que la justice leur a cruellement livrés.

Cette mouche du réveil oblige donc à se lever, à faire

un peu de lumière ou à partir en chasse au milieu de la nuit et sans habit. Cette mouche qui chatouille reste toujours la cousine de la mouche du coche, celle-là même qui dans la fable ennuyait tout le monde. C'est l'intolérable mouche qui sonne le réveil, l'anti-tsé-tsé, celle qui fatigue et qui peut même rendre fou. Et si, de bon matin, vous rencontrez un individu irritable et fatigué, inutile de lui demander : « Quelle mouche t'a piqué ? » Ce genre de mouche ne pique pas, il lui suffit de caresser.

SERGE BOUCHARD

Entendre voler une mouche. Lorsqu'on entend voler une mouche, c'est que l'heure est grave. Le bruit de la mouche est un facteur de suspens, le véhicule d'un temps qui passe et devient de plus en plus dangereux. La mouche est donc célèbre pour son bruit, et c'est par le bruit de la mouche que Leone ouvre son chef-d'œuvre, *Il était une fois dans l'Ouest*. Ô mouche, suspends ton vol, afin que l'action commence.

Le bruit que fait la mouche annonce mille situations : il fait chaud, c'est l'été, quelqu'un va être assassiné, quelqu'un l'est déjà, cadavre recroquevillé sur lequel d'ailleurs les mouches n'ont pas fini de s'affairer.

BERNARD ARCAND

Se retrouver soudain accidentellement transformé en mouche demeure un bon thème pour un film d'horreur. Le scénario nous fait suivre une personne qui pénètre à l'intérieur d'un désintégrateur moléculaire classique, sans avoir remarqué qu'une petite mouche s'y était en même temps glissée, et nous découvrons ensuite que notre héros développe progressivement une drôle de peau, des antennes et des yeux globuleux. Tout cela fascine et fait peur, bien sûr, mais dans la réalité les choses ne se passeraient jamais de cette façon. Si un jour un humain se transforme en mouche, ce sera pour devenir espion.

Car les mouches sont toutes fines et rusées. Elles sont discrètes, mais elles se servent de leurs yeux aux 4 000 facettes et de leurs antennes pour tout entendre et tout observer. Elles assistent aux réunions les plus sélectes et les plus mondaines, elles écoutent les conversations dans tous les motels illicites du monde, et elles arpentent les murs des caveaux les plus secrets. Les mouches représentent l'incarnation même du voyeurisme.

Si un jour une quelconque puissance extraterrestre et supérieure voulait connaître nos coutumes et espionner nos moindres désirs avant que de nous envahir, elle enverrait sûrement des mouches faire tout le travail d'exploration. On imagine facilement tout ce que ces petites bestioles pourraient recueillir comme informations. D'ailleurs, il est bien possible que nous soyons déjà sous observation et que les mouches communiquent avec leurs antennes sans fil qui les relient à quelques extraterrestres dont nous sommes peut-être déjà les cibles et le gibier innocent d'une pêche à la mouche cosmique. Ce n'est pas pour rien que nous appelons « mouchards » les traîtres, les espions et les indicateurs de police. Méfions-nous, ces minuscules observateurs sont en train de nous surveiller, pour ensuite informer leurs maîtres d'une autre galaxie et leur apprendre à reconnaître qui sont les méchants parmi nous, et de quelle façon les distinguer des autres, les gentils qui ne feraient pas de mal à une mouche.

SERGE BOUCHARD

Il n'est rien qui mystifie autant une mouche pourtant sagace que la surface dure d'une glace. Elle fonce dans la vitre, s'y défonce le nez, le crâne et Dieu sait quoi encore.

Elle arpente les lieux, s'élance et recommence, essayant de traverser ce qui pour elle n'est rien mais qui pourtant la bloque. Ce doit être absolument frustrant.

En été, nos pare-brise sont des pare-mouches. Ici, la frustration devient un choc violent. Être une mouche au long cours, c'est une façon de tromper le temps. Mais nous ne savons rien du long trajet des mouches puisque nous n'avons pas encore réussi à les baguer.

BERNARD ARCAND

On a toujours entendu dire qu'il ne fallait pas avoir de mouche dans sa maison, parce que les mouches ne sont pas propres. Un restaurant risque sa réputation en tolérant les mouches dans ses cuisines ou dans sa soupe. On verrait d'un mauvais œil les parents qui ne chasseraient pas les mouches qui survolent le berceau d'un enfant. Et découvrir chez un ami une salle de bains infestée de mouches peut sérieusement nuire à la chaleur de l'amitié.

Les mouches nous paraissent dégoûtantes. Bien sûr, parce qu'elles aiment la pourriture et tout ce qui se décompose, elles semblent s'y promener sans souci, et ont même l'air heureuses ou nostalgiques de revisiter ainsi le site de leur naissance. Mais ce n'est pas la putréfaction en soi qui nous inquiète, car il est normal après tout que les déchets et les excréments sentent mauvais. Il y a plus. Les autres bestioles familières de la pourriture, coquerelles, vers, moisissures ou champignons, très souvent nous dérangent, mais jamais autant que la mouche domestique.

C'est que seule la mouche se déplace allègrement. Elle vole et saute ici et là. Et, à l'opposé de nos meilleures habitudes établies, on dirait que la mouche aime le monde entier, puisqu'elle passe sans hésiter d'un panier de linge sale à une tasse de café, elle se promène partout et, sans distinction aucune, touche à tout et n'hésite jamais à franchir même les frontières les plus imperméables. Encore plus adaptable que le rat ou la coquerelle, la mouche vit en bonne citoyenne du monde, sans préjugés ni discrimination. Voilà justement ce qui nous inquiète. La mouche refuse d'admettre les distinctions qui pourtant, à nos yeux, s'imposent. Elle n'a apparemment aucun sens de la pudeur ni des bonnes manières. Elle passe du caca au sacré sans hésiter. Elle ne respecte aucune des règles élémentaires de la propreté, et, en la voyant se promener, on croirait même qu'il n'y a plus rien de propre et que tous les genres peuvent être allégrement mélangés. Elle saute de l'un à l'autre en confondant les restrictions et en se riant de toutes les contraintes.

Voilà qui pollue grandement. Et puisque les mouches n'ont de toute évidence aucun respect pour l'ordre établi, il serait temps de reconnaître que le fait de tuer une mouche pour en débarrasser la maison constitue un geste de saine autorité, un acte de civisme qu'il faut encourager. On pourrait même recommander à la police de s'en charger.

SERGE BOUCHARD

Que font les mouches de leur journée ? Sont-elles oisives ou débordées ? Cherchent-elles à sortir, les mouches, pour se changer les idées ? Cherchent-elles à savoir ce qui se passe en ville ? Il y a des mouches dans l'autobus, il y en a dans le métro. J'en ai même vu dans les avions. Faire la biographie complète d'une mouche, d'une seule, serait un bien grand projet. Et nous en apprendrions.

BERNARD ARCAND

En volant ainsi de la personne à la nourriture, puis aux déchets, pour ensuite revenir à la personne, la mouche joue le rôle d'un intermédiaire qui établit bien des contacts. On pourrait s'en réjouir, n'était notre conviction que plusieurs maladies peuvent être transmises par ce genre de rencontre. Le choléra, la dysenterie, la typhoïde et combien d'autres malheurs ont depuis longtemps été directement imputés aux contacts établis par les mouches. Pourtant, la science de la transmission épidémique des maladies et des malheurs humains n'est pas encore très certaine, et on peut douter du nombre véritable de cas de transmission de maladies par la mouche. Il faudrait aussi se demander si la mouche ne nous sert pas de bouc émissaire. Pendant que l'on continue à ignorer les détails réels de l'infection, on blâme la mouche, parce que c'est plus facile. Mais peut-être est-ce plutôt parce que cette mouche, qui ose traiter la souillure et la saleté sur le même plan que mon assiette, qui ensuite se pose sur mon épaule ou mon doigt, sans faire aucune distinction entre ma nourriture et mes déchets, cette mouche me traite comme si j'étais moi-même poussière et comme si je devais un jour retourner en poussière. Cette mouche-là fait preuve d'une arrogance insupportable.

SERGE BOUCHARD

Si la science disposait de plus de moyens, je suis à peu près certain que nous aurions depuis longtemps l'usage d'un instrument qui nous permettrait de déchiffrer l'agenda d'une mouche : après-midi à la fenêtre à regarder tomber la pluie, soirée tranquille sur une moulure du salon, petite nuit dans l'obscurité du sous-sol et matinée dans le grenier.

La mouche domestique est très pantouflarde. Dans le confort de son foyer, elle s'épivarde ou s'engourdit selon un rythme qui n'a rien à voir avec le passage des saisons. Dans la maison, la mouche est mouche à longueur d'année.

D'ailleurs, il n'est rien de plus cruel mais aussi de plus

drôle que d'ouvrir la porte à une mouche, que de l'envoyer jouer dehors par une soirée de janvier, par -30 degrés. Comme l'avion dont les ailes s'englacent, elle ne tarde pas à tomber. Or une mouche qui tombe, ça ne fait pas beaucoup de bruit. Lorsqu'elle tombe dans la neige et qu'il fait déjà nuit, cela s'appelle un écrasement anonyme. Mourir comme des mouches et tomber comme des mouches sont des expressions qui se rapportent au grand nombre, bien sûr. Mais le plus terrible, c'est encore l'insignifiance et l'anonymat.

BERNARD ARCAND

Vu de loin, l'être humain doit parfois avoir l'air assez fou. Quand il s'obstine à vouloir compter les étoiles, à prédire l'avenir, à limiter ses envies ou à maîtriser le vent. Imaginez qu'il existe même des gens qui poussent la démence jusqu'à vouloir se débarrasser des mouches. Des individus qui démontrent une extraordinaire patience en essayant d'attraper une mouche à la main avant qu'elle ne prenne son envol. Des gens qui inventent des insecticides, des tapettes, des chandelles odorantes, des lampes suicidaires et des papiers collants. Et qui doivent finalement et inéluctablement prendre conscience que la mouche est immortelle. Même le président Mao, qui disposait pourtant d'une armée de un milliard de tueurs de mouches, n'a jamais vraiment réussi à les exterminer.

La frustration laisse des traces qui doivent s'exprimer par les mots. Voilà pourquoi notre arme courante de lutte ne s'appelle pas épée, lance ou pistolet, mais porte plutôt un nom brutal et uni-fonctionnel : le tue-mouches. La nervosité des mouches n'a rien de paranoïaque.

Peut-être est-ce aussi la frustration et le découragement face à la toute-puissance de la mouche qui nous a fait retenir cette expression totalement tautologique et vide de sens : « On n'attire pas de mouche avec du vinaigre. » Il faut croire que l'auteur de ce dicton ridicule avait été rendu fou par son obsession destructrice des mouches; ou bien qu'il tenait à souligner que lui, qui sans doute attirait les mouches, n'était pas pour autant un être amer. Car il est grossièrement évident que l'on n'attrapera jamais de mouche avec du vinaigre. En fait, on n'attire rien du tout avec du vinaigre, c'est au mieux un traitement sûr parfois imposé aux salades et aux frites, ou encore un liquide imbuvable dans lequel on lance un œuf trop cuit. Mais le ridicule de l'expression paraît encore plus flagrant quand on songe que le vinaigre agit comme un magicien et qu'il connaît le truc pour faire apparaître des mouches : dans une cuisine aseptisée et dont toutes les portes et fenêtres sont bien fermées, dans un plat de fruits, hier encore frais et attirants, apparaît comme par magie l'extraordinaire mouche du vinaigre, la célèbre drosophile, cette toute petite mouche insaisissable apparemment sortie de nulle part et qui n'aime que les fruits qui commencent à fermenter et à tourner au vinaigre.

Voilà qui devrait aiguiller la science sur de nouveaux sentiers. Il est futile de répéter que le vinaigre n'attire pas les mouches, il faut plutôt envisager l'hypothèse que le vinaigre est en fait la mère de la mouche. Et cette mouche qui naît dans le vinaigre et qui aime tant la fermentation serait ainsi, de naissance, un animal fortement alcoolisé. Ce qui expliquerait aisément son vol irrégulier, et permettrait de comprendre aussi pourquoi les mouches insistent tant, ont toujours soif, se répètent sans cesse, sont largement incohérentes et, souvent, se font frapper.

SERGE BOUCHARD

Les mouches sont les âmes de nos chers disparus. D'ailleurs, l'être humain a depuis longtemps fait l'équation entre le nombre d'hommes et celui de mouches. Il y aurait donc de plus en plus de mouches depuis que, forcément, le temps passant, il y a de plus en plus de morts au passif d'une humanité qui vieillit. Les mouches à feu (les lucioles, si vous préférez) sont des âmes fraîches, des morts récents, dont l'illumination n'est pas encore tout à fait réduite à rien, des âmes qui ne sont pas encore complètement mortes.

Si les mouches sont les âmes de nos morts, le Parti communiste chinois savait-il ce qu'il faisait lorsqu'il a demandé à chaque Chinois de tuer une mouche par jour afin de débarrasser la Chine de ce fléau qu'est le passé ?

BERNARD ARCAND

À écouter la langue de ce pays, on se demande un peu ce que nous ferions sans les mouches. Comment pourrions-nous décrire une écriture trop fine et à peu près illisible, le genre de gribouillage que l'on associe communément à la profession médicale ? Comment dirions-nous que quelqu'un est très fin, et comment pourrions-nous décrire un misérable moucheron ? Comment nommer un petit boxeur très peu pesant ? Comment faire mouche et impressionner un auditoire maintenant habitué aux massacres et aux horreurs de la guerre si l'on ne peut plus lui dire comment tombaient les victimes ? Comment se dire bon et gentil sans préciser à qui nous ne ferions pas mal ? Les mouches sont devenues notre conscience, elles se sont rendues indispensables, et qu'on aime cette idée ou non, on dirait qu'il y en a une sur le bout de toutes les langues.

SERGE BOUCHARD

Dans la tradition des chasseurs algonquiens, la mouche joue le rôle du maître de la plupart des animaux. La mouche commande au caribou et à l'orignal. En vérité, nous savons tous que les mouches peuvent venir à bout de la patience d'un gros animal en le rendant fou et vulnérable. Les petites mouches noires et la grosse mouche à chevreuil sont en mesure d'achever une bête si elles s'y mettent vraiment. D'ailleurs, elles tuent les hommes si on leur en laisse le temps. Les mouches ont donc un grand pouvoir sur les gros animaux. De plus, sans mouches, pas d'oiseaux. Beaucoup d'oiseaux d'été comptent en effet sur les mouches pour survivre. Finalement, les mouches mystifient les poissons. Pêcher à la mouche est la plus grande pêche sportive qui se puisse imaginer. Le vrai pêcheur fabrique ses propres mouches et son lancer essaie de reproduire systématiquement le mouvement de la mouche à la surface de l'eau. Les faiseurs de mouches sont des passionnés qui lentement deviennent maniaques. Sans les mouches, les araignées tisseraient leurs toiles pour presque rien, peut-être pour un quart de leur butin ; elles devraient se contenter de maigres maringouins. Le mot algonquien « mus » (prononcez « moush ») veut dire orignal, d'où le « moose » des Anglais. Que la mouche soit le maître du « mus » m'a toujours amusé.

Il y a de cela plusieurs années, des bandits énergiques avaient volé l'argent devant servir à payer les ouvriers de la Manicouagan au nord de Baie-Comeau. Les voleurs s'enfuirent dans les bois, essayant de s'y cacher un bout de temps, histoire de se faire oublier. Mais la police nordique est compétente, elle a la sûreté adaptée. À quoi sert de poursuivre dans les bois des bandits de la ville qui, dans un jour, vous supplieront de venir les chercher ? Et c'est bien ce qui se passa. S'étant livrés à la police, ils n'avaient que les mouches à blâmer. Or ces voleurs n'avaient pas reçu une bonne éducation : la taïga et la toundra sont des endroits où l'on retrouve en été le plus grand nombre de mouches au mètre cube. Contrairement à la justice, il est connu que la nature ne pardonne pas.

BERNARD ARCAND

Il nous faut maintenant reconnaître que la mouche a souvent été appelée à jouer un rôle assez ingrat. Toujours parasite, elle nous a servi en plusieurs occasions de référence comme de faire-valoir.

Dans des temps pas tellement anciens, on appelait « mouches » ces petits points noirs en taffetas que les dames plaçaient sur leur visage de manière à faire ressortir la remarquable blancheur de leur peau. Se montrer toute blanche laissait alors clairement entendre que l'on n'était pas paysanne, c'est-à-dire pas du genre obligé à travailler aux champs sous un soleil parfois ardent. Cette pratique a maintenant disparu, on le sait, surtout depuis que Coco Chanel a déclaré un jour que le basané était un teint de bon ton, et donc depuis que les élégantes fréquentent plutôt les salons de bronzage. Mais la mode est changeante, et l'usage de la mouche noire comme contraste à la blancheur d'un bel épiderme pourrait bientôt être réintroduit dans la foulée des inquiétudes récentes sur les origines solaires de certains cancers de la peau.

Quoi que nous réserve l'avenir, il faut signaler ce rôle utile de la mouche comme outil de mise en valeur. La peau blanche et poudrée ne paraîtrait jamais aussi pâle sans le petit point de taffetas noir. De la même manière, le palais d'Orsay, l'île Saint-Louis, le pont Mirabeau et même Notre-Dame seraient sans doute bien moins spectaculaires et perdraient de leur splendeur s'il n'y avait tous les jours ces milliers de touristes routiniers et ordinaires qui les visitent et qui les admirent à partir de ces petits bateaux qui sont très bien nommés.

IX

LE COMMANDANT

SERGE BOUCHARD[1]

Commander un porte-avions est un métier difficile, certains parlent de tâche ingrate. D'abord, vous êtes Dieu en remplacement de Dieu depuis que Dieu est mort et qu'on n'en parle plus. Ensuite, vous êtes fin seul, *lonely at the top,* comme disent les Américains qui s'y connaissent en solitude comme en modernité. Et puis vous êtes foncièrement ridicule depuis que plus on monte, plus on montre son cul, comme disait Montaigne qui s'y connaissait en choses anciennes comme en manies humaines. Enfin, vous logez aux enfers de la perplexité : mais quel est donc ce métier qui consiste à diriger un navire autocommandé qui, s'il échoue, sera sur-le-champ renfloué et qui, au cœur des plus violentes tempêtes, ne menace jamais de sombrer?

Le marin ayant réussi son plan de carrière doit-il obligatoirement prendre des vacances pour aller à la mer? Plus on s'élève, moins il y a de danger à piloter des appareils complexes puisque diriger se résume alors à négocier avec l'ennui ainsi qu'avec sa sœur, mademoiselle oisiveté. Le plus grand commandant verse dans la comédie de ses fausses manœuvres, dans ses récifs inventés, ses ennemis fabriqués,

---

1. Tiré du *Moineau domestique,* Guérin, 1991.

ses dîners militaires où l'on imagine la guerre. Divertissement oblige, les écoles de commandement développent de plus en plus l'enseignement de l'art dramatique. Il faut un style, un genre, nul n'est patron, très grand patron, sans l'uniforme et les galons.

Je me souviens d'un porte-avions américain baptisé *L'Entreprise*. Imaginez : entrer dans tous les salons de la Terre en déclarant tout simplement : «Je suis le commandant de *L'Entreprise*.» Cela vous refait une image, à vous qui n'êtes qu'une image. Virer de bord dans l'Atlantique demande de la circonspection, des analyses et des millions, sans parler des contextes et des autorisations.

Vous êtes la reine de la fourmilière. Il y a des hommes dedans la coque, il y en a d'autres dessous le pont; ce sont d'obscurs rameurs et de sombres plombiers. Il y a des hommes dessus le pont, des décrotteurs de nez d'avion, des laveurs de métal et d'asphalte, des monteurs de pavillons, des guetteurs d'horizon. Tous dépendent de votre décision. Il y a des gens dedans la tour, des consultants en océans, des psychologues maritimes, des hommes radars, des spécialistes à l'écran, des avocats versés dans le domaine des eaux troublées. Devant tant de savants et de mains habiles et ingénieuses, devant cette foule ratoureuse, qui porte la culotte sur le plus beau navire de la flotte?

En vérité, nul ne le sait. Il y a sûrement quelque part, dans un salon de métal dont les murs sont ornés d'écrans verts, un commandant qui rêve en se versant un verre de nostalgie. C'est qu'il se voit debout, un beau gouvernail entre les mains, en train de maintenir à flot un vieux rafiot qui prend l'eau et qui pourtant se refuse à couler. Le commandant agit, le voilà qui descend sur le pont pour voir à la manœuvre, le voilà qui se mouille et qui parle à ses hommes mouillés, le voilà qui cogite sur le gaillard d'avant, respecté des marins, prêt à tout pour arriver au port.

Solitaire dans son antre de fer, isolé dans sa tour luisante, le commandant de tout s'ennuie. Il se souvient que c'est le risque et la peur de couler, que c'est l'action nécessaire et la nécessité qui commandent la chaleur de la solidarité. À ne plus rien faire et à tout déléguer, l'humain se retrouve en face de l'humain, c'est-à-dire devant rien. C'est là que l'égoïsme s'installe en lieu et place de l'obligatoire altruisme des personnes en danger. C'est lorsque nous sommes mal pris que nous sommes le plus beaux.

Sur ses milliards, le commandant rêve d'un cargo rouillé, il s'imagine, en sueur, hissant le cacatois et le grand foc, il se voit brick-goélette, grand voilier, steamer et remorqueur. Au sommet de *L'Entreprise,* il file l'insomnie, souhaitant des tempêtes, des coups de vent sérieux, recherchant dans le fond de sa tête les insondables creux barométriques dont la mer parle tant. C'est le grand mal de *L'Entreprise,* comme une volonté aussi cachée qu'inavouable de retourner à la vraie barre au sein d'un bateau plus humain, où chacun frôle chacun.

Mais c'est un rêve, un pauvre rêve. La vie sur les rafiots sera toujours la vie sur les rafiots. Elle est vraie, peut-être, mais elle est difficile, très précaire et parfois même insupportable. Drake, Cook et La Pérouse sont tous morts assez jeunes, dans la misère et dans l'eau froide.

BERNARD ARCAND

Vues autrement, et plus précisément du point de vue de ceux qui sont au fond de la cale, la complexité technique et l'efficacité remarquable du porte-avions moderne devraient être une source d'espoir grandiose. Car, dès lors, il devient enfin pensable de se débarrasser du commandant. Quand la machine fonctionne d'elle-même, qu'elle va toute seule, les décisions se font nécessairement plus rares et les décideurs s'en trouvent diminués.

La machine qui s'occupe de tout ne laisse plus aux autres que le soin de répondre aux très grandes questions qui, de toute façon, doivent être résolues en commun ou qui ne tolèrent que le genre de réponses qui s'imposent d'elles-mêmes. Et une fois prises, les très grandes décisions, quand l'objectif se fixe, la technique prend l'aventure en charge et le reste du chemin s'en trouve automatiquement tout tracé. Du coup, forcément, les commandants se trouvent dépouillés d'un pouvoir qui, désormais, leur échappe. Ils deviennent alors comparables aux tout premiers astronautes, dont l'exemple est devenu classique puisque leur seul rôle dans l'exploration de l'espace se résumait à demeurer inconfortablement assis dans une boîte de tôle et à commenter la beauté du paysage, pendant que le centre du véritable contrôle de tous les détails de l'opération gardait les pieds bien sur terre; Tom Wolfe a raconté comment, à cette époque, les véritables pilotes d'essai ont prétendu qu'un singe aurait pu devenir astronaute.

Ainsi, en retirant le pouvoir aux commandants, l'avènement de l'âge de la machine devrait nous permettre de nous éloigner pour toujours de cette triste époque où le commandant se croyait permis de nous faire ramer en fond de cale. Mais il faut croire que ce n'est jamais aussi simple et que les commandants n'ont pas l'habitude de disparaître si facilement. Par exemple, certains, sinon même plusieurs, probablement fort déçus d'être réduits au rang de quinquagénaires grisonnants, grassement gradés mais en très bonne forme, vont soudain se passionner pour la gestion autoritaire de l'insignifiant : ceux-là insistent beaucoup sur la propreté des toilettes, le choix de la chanson-thème ou la qualité du style de rédaction du plan triennal; n'importe quoi semble pouvoir servir de prétexte à la confirmation de leur autorité. Mais, plus important peut-être, on voit aussi couramment à quel point la perte de contrôle au profit de la technique n'a pas vraiment servi la révolution des humbles et des impuissants. Les commandants diminués conservent souvent leur ascendant et il faudrait avoir le courage de tracer l'inventaire des inventions humaines qui tous les jours permettent de transformer à peu près n'importe quelle niaiserie en occasion de témoigner de notre remarquable volonté de servir. Au commandant qui, de fait, a perdu son autorité et qui ne commande plus rien du tout, on réserve néanmoins le pouvoir de nous commander un café, une tenue vestimentaire ou une posture à table. C'est à croire que l'évolution sociale et toutes les grandes conquêtes de la technique n'ont pas suffi à modifier le fait qu'au plus profond de la cale, trop de marins demeurent encore bien fiers de leur commandant.

SERGE BOUCHARD

Si j'étais un jour investi d'une fonction considérable, j'affirmerais d'emblée mon intention d'être d'abord humain avant que d'être irréprochable. Autrement dit, dans mon discours inaugural, je m'engagerais sous le rapport de mon humanité plutôt que sous celui de ma moralité.

Dans les grandes affaires humaines, nul ne sait rien des situations qui s'annoncent et c'est un grand tort que de prétendre à l'avance pouvoir en tout les surmonter, qui par un livre de bonnes actions, qui par une bonne formation ou encore par la fausse conviction qu'il n'est qu'une bonne façon de bien se tenir en toutes circonstances. Mon discours inquiéterait certes les théoriciens de l'action stratégique, car s'il est une chose qui énerve ces gens-là, c'est bien de savoir que l'homme pourrait avoir une part dans l'action de l'homme.

À un conseiller supérieur qui lui reprochait de nommer un ivrogne notoire et un «courailleux menteur» à la tête de sa grande armée, Abraham Lincoln répliqua qu'il en avait assez des défaites accumulées par des «collets montés» à qui on ne pouvait strictement rien reprocher, sinon le fait de ne jamais gagner une seule bataille contre un général ennemi dont la stratégie échappait à toutes les théories. Il ajouta qu'il se pouvait bien qu'en matière de services militaires, le fait de boire et de mentir ne puisse qu'être utile au général d'armée. Selon certains historiens, cette décision surprenante et contestée fut à l'origine de la victoire des Nordistes sur les Confédérés.

Il y a là une grande leçon que, bien sûr, l'histoire n'a pas retenue. La meilleure des stratégies est de n'en pas avoir. Il faut être là où l'ennemi ne vous voit pas, il s'agit de décevoir, il faut faire ce que faisait le général Lee. Ses petites bandes attaquaient de front les grandes armées, ses grosses troupes avaient ordre de se sauver devant les éclaireurs yankees, il empruntait les chemins les plus longs, faisait mine de périr, attaquait quand il ne fallait pas, refusait d'écraser qui il tenait à sa merci. Bref, dans ses actions, ses desseins étaient imprévisibles. Les petits analystes mirent le tout sur le compte de l'alcool, mais les plus sérieux comprennent qu'avec plus de moyens et plus de temps, Lee aurait eu de bonnes chances de finir par gagner la guerre contre les impeccables stratèges de West Point. Mais les choses se sont passées autrement et l'homme a fini par rencontrer son homme, un dénommé Grant, qui, à l'instar du général sudiste, avait compris que la plus grande puissance de l'acteur stratégique, c'est son pouvoir de transformation, sa capacité magique de complexifier toujours plus son mouvement et sa faculté intuitive de « voir » instantanément ce qu'il convient de faire. Il n'est pas de livre, il n'est pas de code, encore moins de modèle pour ce genre de décision.

Dans l'intervalle, nous continuons à décorer les généraux d'opérette, ceux qui dans l'action ne se mouillent pas, ne sont jamais mouillés, mais qui écrivent tous les traités du bon combat. D'ailleurs, les véritables généraux n'écrivent ni n'enseignent, s'il est vrai qu'ils se retirent dans leurs propres quartiers pour y grogner en paix. Car ce sont des héros qui ne sont pas « sortables », qui ne sont pas « montrables », qui sont loin d'être irréprochables. En un mot, ils n'ont rien à dire à ces comiques qui, sur la guerre, se font un tas d'idées. Inavouable, sur le fond. Le mieux, avec ces généraux gênants, c'est lorsqu'ils restent sur le terrain de leurs victoires ou de leurs défaites et que, rendus définitivement muets comme une tombe, il nous est permis de les pousser dans la fosse commune en compagnie de leurs soldats. Il est alors rassurant de savoir que le traité de leur stratégie est un traité qui ne sera jamais écrit.

BERNARD ARCAND

Félix Leclerc, le jeune (comme on dit parfois « le jeune Marx »), a un jour énoncé un très grand lieu commun en écrivant une chanson probablement en réaction aux lamentations d'un existentialisme petit-bourgeois qui se plaignait qu'il arrive parfois que des enfants s'ennuient le dimanche. Dans cette chanson il déclare : « Ceux qui disent que les dimanches sont jours d'ennui, d'espoirs qui flanchent, n'ont donc jamais mal dans le dos pour n'avoir pas besoin de repos. » Ce texte date de l'époque un peu tumultueuse où le jeune poète essayait de percer, travaillait sans doute assez fort et devait bien être parfois fatigué et avoir, lui aussi, comme tout le monde, besoin d'un dimanche de repos.

Vingt ans plus tard, Félix Leclerc, le vieux (de la même manière que l'on dit parfois « le vieux Marx »), artiste reconnu, admiré, aimé, poète national et adulé, écrivit une autre chanson dans laquelle il est annoncé que le meilleur moyen de tuer un homme, c'est de le payer à ne rien faire. Le ton a changé et on sent bien que ce n'est plus du tout le même langage.

C'est qu'entre les deux chansons, Félix Leclerc avait changé au point de devenir commandant. Dans la première, il voulait corriger un énoncé général arrogant en lui opposant un lieu commun : le travail fatigue, le travail abîme. La seconde chanson, par contre, énonce un principe général et essaie de le faire passer pour une évidence : le travail est salutaire, et il est bon que l'homme soit sain. Être devenu commandant, c'est parler sur ce ton, pouvoir dire les choses avec autorité. C'est traiter ses lieux communs comme autant de principes valables et se croire justifié de les imposer. Devenir commandant, c'est atteindre une position qui permet raisonnablement d'espérer que sa volonté sera faite sur la Terre comme au ciel.

SERGE BOUCHARD

Qu'eut valu à César d'avoir suivi les cours de nos écoles de gestion ? Ou d'avoir engagé de prodigieuses sommes pour se payer les services d'un conseil systémique qui lui aurait donné la clé de l'empire que lui-même concevait ? Eût-il mieux soigné son image et mieux « géré » ses guerres ? Qu'aurait-il fait de plus, ce politique et ce mégalomane, s'il avait pu jouir des « lumières » qui diplôment les nouveaux chefs de notre temps ?

J'ai là-dessus une hypothèse. Si César avait écouté des consultants en management, la Gaule serait demeurée gauloise. Et ses légions romaines auraient séché sur le papier, schématisées en boîtes, en flèches et en carrés, prisonnières d'un quelconque système informatisé, paralysées par un plan directeur, leur énergie, leur enthousiasme canalisés, leur gaieté formatée, l'intuition priorisée et l'action mesurée.

Centenaire et quasiment gaga, l'empereur serait mort d'ankylose maligne en présidant un comité.

BERNARD ARCAND

Le monde moderne semble engagé dans la construction d'un «paradoxe du commandant» dont il ne sera pas facile de se sortir. Prenons pour exemple la crise récente au sein de la Fédération internationale automobile qui régit les courses de formule 1. Le cas n'est pas très complexe, mais il fournit un bel exemple d'un type de problème qui paraît toujours insoluble.

D'une part, il est bien évident que le fait d'envoyer quelqu'un aux commandes d'une automobile de formule 1 représente à ce jour l'invention culturelle qui définit en quelque sorte le summum de la maîtrise de soi et la limite extrême de la capacité à prendre des décisions justes et correctes dans un contexte de stress absolu. Le commandant d'un tel bolide n'a pas le temps de s'attarder aux questionnements ni aux inquiétudes : pendant les deux ou trois heures d'une course, le pilote devra mille fois décider, vite, très vite, sans la moindre hésitation, dans des conditions de contrainte sévère et au risque immédiat d'y laisser sa vie. Récemment, en France[1], Rhône-Poulenc et l'Institut biomédical sports et vie ont observé et mesuré que, sous le double effet de la dépense énergétique et du stress psychologique, le rythme cardiaque moyen du pilote de formule 1 en action gravite aux alentours de 150 et 160 pulsations/minute, avec des pointes atteignant jusqu'à 200 ou 230. On serait en peine de trouver dans notre société d'autres exemples d'activités où le verbe commander assume aussi pleinement le sens de «gouverner», «diriger», «conduire» et «mener». Le pilote de formule 1 a toujours représenté l'incarnation de la notion de pur commandement.

Mais depuis quelques années, les choses ont beaucoup

1. *L'Équipe magazine,* n° 603, samedi 21 août 1993, p. 50.

changé. Peu à peu, progressivement, sournoisement presque, on a vu les pilotes conserver leurs pédales tout en perdant une partie de leurs commandes. Parce que trop de gens sont venus les aider. Parce que les commanditaires, les concepteurs, les ingénieurs, les techniciens et tant d'autres encore ont de mieux en mieux compris que l'objectif de faire tourner une soixantaine de fois une automobile sur une piste parfaitement plane n'exigeait pas nécessairement l'intervention d'un pilote manuel. Grâce à de nouveaux matériaux, à une meilleure compréhension de l'aérodynamique et surtout aux progrès de l'électronique, on a découvert qu'il était maintenant possible d'améliorer grandement la conduite tout en limitant les risques d'erreur humaine. Ce qui a mené à l'invention de divers mécanismes électroniques d'aide à la conduite, appuyés par des ordinateurs qui analysent toutes les données du parcours et qui peuvent ainsi prévoir et surtout reproduire à chaque tour les conditions idéales d'accélération, de freinage, de virage, de changement de vitesse et de tout le reste. Résultat de tout cela, alors que la tragédie était autrefois courante, soudain, sur une période de sept ou huit ans, aucun pilote n'est mort dans l'exercice de ses fonctions. Bref, il devenait beaucoup plus facile de conduire, et les pilotes se retrouvaient petit à petit privés de travail comme de mérite. Au rythme fou de la formule 1, si la tendance s'était maintenue, après quelques années les pilotes auraient eu la taille des jockeys et obtenu le droit de somnoler au volant d'une machine parfaitement programmée dans l'art de négocier tous les prochains virages.

L'exemple est actuel mais le dilemme, lui, est probablement très ancien. Depuis toujours, l'être humain semble montrer une extraordinaire tendance suicidaire à inventer des techniques qui le remplacent et des machines auxquelles il ne pourra jamais plus commander de la même manière. L'inventeur de la roue perdit du coup le commandement de ses porteurs. Et il paraît inévitable qu'il en soit ainsi et que la technique gagne chaque fois, c'est sa seule intention et son unique finalité : tôt ou tard une machine fera mieux. Il serait donc inévitable qu'à la longue tous les commandements s'effritent et que le poste de commandant soit condamné d'avance. Toutefois, ce serait oublier que les vrais chefs ne se laissent pas si facilement enfermer dans les dilemmes. Il faut donc ajouter ici les nombreux exemples de vieux commandants qui, au moment de perdre leur pouvoir et de se transformer en guignols, s'inventent de nouveaux jeux et de nouveaux défis, que la technologie n'avait pas du tout prévus et où ils pourraient recommencer loin de zéro et déjà au sommet. Le commandant préhistorique des porteurs gardera ses hommes pour les lancer dans la fabrication d'essieux. La découverte de l'huile à moteur éternelle fera naître la compétition du recyclage des huiles usées. Les anciens sportifs luttent pour obtenir le poste de commentateur à la télévision. Les vieux commandants ne meurent jamais, simplement, ils s'effacent, mais les meilleurs se recyclent. Parce qu'ils savent tout faire et qu'ils se croient bons.

SERGE BOUCHARD

Maître après Dieu, celui qui est aux commandes de quelque machine l'est finalement toujours. Le chauffeur tient votre vie entre ses mains. C'est d'ailleurs ce qui constitue fondamentalement l'engagement du conducteur, fût-il chauffeur de taxi, d'autobus, capitaine de bateau ou commandant d'avion. Dans chacune de ces professions, il y a ce caractère sacré de la responsabilité. Il m'est arrivé sérieusement de vouloir battre avec mes poings un chauffeur de taxi qui l'avait oublié. Cela dit, l'expression maître après Dieu est une expression qui possède un sens profond.

Voilà pourquoi le chauffeur privé du pape est le plus saint des hommes. Au moment où il conduit le Souverain pontife dans les innombrables rues de son immense bergerie, il se trouve un instant entre Dieu et lui.

BERNARD ARCAND

Depuis plusieurs années déjà, on nous parle de ces ordinateurs qui, bientôt, contrôleront toutes les principales fonctions d'une habitation ordinaire et qui, au son d'une voix ou parce qu'ils auront été programmés, s'occuperont seuls d'ouvrir et de fermer portes et fenêtres, assureront l'éclairage et une climatisation impeccable, la sécurité absolue et la surveillance de l'ambiance. Nous sommes des primitifs, nous qui entrons à peine dans l'ère des grands systèmes intégrés de gestion de la domesticité.

On entend aussi dire, par ailleurs, que des ingénieurs japonais ont déjà mis au point un siège de toilette qui permet, chaque matin, de tracer un rapide bilan de santé de son utilisateur. Avec cet appareil merveilleux, quelques instants suffisent pour connaître l'état de la pression artérielle, la température du corps, ou pour signaler tout détail alarmant. Quoique demeurant encore relativement cher, ce siège-de-toilette-analyste-de-santé serait, dit-on, déjà en usage dans certaines des meilleures familles du Japon.

Or, comme on n'arrête pas le progrès, il est permis d'imaginer tout de suite que cet outil sera très prochainement intégré au système général de contrôle automatisé de la maison. Il semble même hautement prévisible que le siège des toilettes deviendra bientôt l'enclencheur premier de toutes les conséquences, c'est-à-dire le pivot de la gestion globale. À la suite de votre bilan de santé matinal, l'ordinateur central jugera bon de hausser légèrement le chauffage, d'enclencher l'extracteur à jus frais et de vous faire entendre de la musique baroque. Certains matins, il vous suggérera plutôt un café fort et de la musique *funky*. D'autres matins, la détection rapide d'un état de stress inquiétant imposera même que les fenêtres ne soient pas ouvertes et que soient maintenus le bruit des vagues et le fonctionnement de la couverture électrique.

Il est facile de prévoir que certains esprits s'inquiéteront de ce qui leur semblera bientôt constituer une perte d'autonomie et de contrôle au profit des techniques modernes de la gestion totale. Dans quelque débat prochain et malheureusement télévisé, on entendra dire que, désormais, c'est l'ordinateur qui nous commande. Il faudra alors rappeler que, au contraire, dans cette nouvelle organisation de nos univers domestiques, c'est le bilan de santé matinal, ce qu'on appelait autrefois l'humeur, qui déterminera tout le reste. Nos moindres pulsions deviendront des ordres. Jamais nous n'aurons été aussi parfaitement aux commandes de tout ce qui nous entoure. Devenus commandants suprêmes, pour la première fois maîtres chez nous ou rois du foyer, nous pourrons enfin oublier les tâches domestiques et nous consacrer entièrement à l'étude de nos humeurs.

SERGE BOUCHARD

Dans les années qui viennent, je prévois une forte augmentation des catastrophes aériennes. Ce n'est pas que je sois un prophète de malheur, c'est juste que je remarque une tendance à une grande prétention dans nos technologies.

Les véritables pilotes d'avion se font rares et les techniciens au sol voudraient que nous nous en réjouissions. Ces derniers travaillent depuis longtemps à nous faire croire que ce sont les pilotes qui font s'écraser les avions. Les gros appareils étant techniquement irréprochables, les compagnies aériennes étant à tel point professionnelles, le ciel étant parfaitement connu dans tous ses recoins et toutes ses humeurs, il ne reste que les pilotes à blâmer lorsque les avions tombent. La meilleure façon de régler le problème serait de les empêcher de piloter, de les remplacer aux commandes par des ordinateurs qui, eux, ne sont pas sujets à l'erreur ou à la fatigue humaines.

Or, c'est bel et bien ce qui est en train de se produire : les vieux pilotes formés aux anciennes écoles où il leur était enseigné que c'étaient eux qui faisaient voler les avions sont tous en fin de carrière. Ils se retirent les uns après les autres, irrités par la prolifération des directives et des programmes techniques. L'esprit informatique remplace l'esprit de finesse.

Les avions ne s'écraseront plus par suite d'erreurs humaines, ils tomberont à cause d'erreurs dans les programmes. Le pilote qui se trompe a une chance de se reprendre, s'il en a l'habileté et s'il tient à la vie comme à la prunelle de ses yeux, ce qui est souvent le cas chez les êtres humains. L'ordinateur, quant à lui, n'a pas peur d'exploser si son programme est ainsi fait. Il s'écrase sans cligner de l'œil. Dans le cockpit, le programmeur aura beau tenter de le programmer, il est hors de question qu'il le remplace en cas de panne, dans la mesure où le technicien ne sait pas réellement piloter.

Le commandement de gros avions commerciaux et civils est un métier qui se meurt. Les anciens qui s'en vont ne sont pas remplacés. Et demain, c'est dans les livres et les romans qu'il faudra bien nous replonger pour avoir une idée de ce que cela pouvait bien représenter, commander.

X

LE GOLF

Bernard Arcand

La littérature française offre quelques descriptions saisissantes de situations où des pauvres, debout dans la rue, regardent manger les riches à travers la vitrine d'un restaurant. Des mendiants maigres qui observent les bourgeois bien au chaud qui s'empiffrent. Et le regard des pauvres gens serait, nous dit-on, comparable à celui que l'on porte sur un aquarium et qui, à la longue, peut faire naître chez n'importe quel miséreux un appétit certain pour la chair de poisson.

De nos jours, les écarts de fortune n'ont peut-être pas diminué, mais les restaurants semblent plus discrets, ou peut-être est-ce la police qui est moins tolérante envers le vagabondage. Quoi qu'il en soit, l'image du contraste gastronomique entre bourgeois cochons et prolétaires affamés est devenue quelque peu usée ou en tout cas moins frappante.

Mieux vaudrait chercher ailleurs des images plus modernes. Or, il suffit d'être un peu attentif pour en trouver facilement une quand, aux mois de mai, juin, septembre ou octobre, en vous rendant au travail ou en en revenant, vous voyez le long d'une autoroute des individus qui jouent au golf. Précisément aux mois de mai, juin, septembre et octobre, c'est-à-dire à ces moments de l'année où normalement personne n'est en vacances. Et vous remarquerez facilement que ces golfeurs sont parfaitement visibles, surtout le long des autoroutes fréquentées par des camionneurs fatigués, des voyageurs de commerce en perpétuel déplacement, des adeptes des réunions de travail éloignées, des criminels en fuite et des policiers en fonction.

Qui sont donc tous ces gens qui, tandis que le reste du monde travaille, ne trouvent rien de moins agréable à faire que de jouer paisiblement au golf? S'agit-il dans tous les cas de retraités heureux ou d'héritiers chanceux? Ceux qui parcourent les terrains de golf les jours ouvrables sont-ils nécessairement des athlètes professionnels en congé, des artistes en vacances, des professeurs de cégep, des chercheurs universitaires, ou des travailleurs de nuit insomniaques? Sommes-nous chaque fois témoins d'un rassemblement de gagnants à la loterie? Il faudra faire enquête. Mais en attendant, on pourrait croire que nous assistons actuellement à l'émergence d'une nouvelle classe du loisir, d'un genre tout à fait nouveau et que ne pouvait prévoir Thorstein Veblen, une classe sociale qui ne cherche plus à faire la démonstration ostentatoire de sa bonne fortune en se donnant en spectacle à la vitrine des meilleurs restaurants, mais bien des riches nouveau genre qui n'ont plus besoin de la consommation de Mercedes Benz ou de voiliers océaniques, des gens qui se satisfont de fouler du gazon durant les heures de travail, des hommes et des femmes souvent encore jeunes et, comme on dit parfois, avec beaucoup de «potentiel», qui auraient simplement décidé de se retirer du monde et de tout quitter pour se consacrer corps et âme à la pratique du golf.

Si vous les regardez de près, quand sur la route vous arrêtez votre véhicule pour les observer avec des jumelles, vous noterez tout de suite sur leur visage une expression qui n'a rien de la satisfaction et de l'arrogance des bourgeois d'autrefois. Vous y verrez davantage l'air à la fois serein et concentré des personnes qui semblent habiter un univers de «conscience altérée». On jurerait qu'elles restent totalement imperméables aux bruits de l'autoroute. Et souvent, ces golfeurs qui choisissent le bâton approprié nous paraissent animés d'une douce paix intérieure : alors qu'autour d'eux, tout n'est que confusion, précipitation et vitesse excessive, du terrain de golf émane un calme quasi mystique. Comme si tous ces golfeurs avaient été touchés par une grâce quelconque, ou qu'ils avaient compris quelque chose qui nous échappe encore.

SERGE BOUCHARD

Une société malade du golf est ou bien une société immensément prospère ou bien une société en faillite. La multiplication des terrains de golf devrait intéresser les analystes. Le parcours le plus difficile que je connaisse n'est pas le Pebble Beach en Californie, ce serait bien plutôt le surprenant Country Club de Matagami. Là, une balle bien frappée est ralentie par les mouches noires. Elle retombe dans l'allée avec au moins une face ensanglantée. Mais la passion du golf ne connaît pas de limites. Si l'on pouvait jouer dans la neige ou encore dans la rue, le sport serait encore plus populaire.

BERNARD ARCAND

Alors que certains ont enfin réussi à se convaincre de leur bon état de santé et à se satisfaire d'une condition sociale raisonnable de citoyen moyen et ordinaire, alors que d'autres se croient exemplaires, sains d'esprit et nettement supérieurs à la moyenne, voilà que brutalement le golf leur impose un handicap. Car tous les golfeurs, quel que soit leur degré de compétence, se voient infliger un handicap. Sur un terrain de golf, chacun traîne avec soi un triste handicap, et c'est grâce à l'imposition d'un tel handicap qu'il peut raisonnablement espérer atteindre la normale. Le golf est un sport juste.

L'idée n'est pas du tout nouvelle. Elle est probablement antérieure au judaïsme, en tout cas, elle a été très souvent reprise depuis. Il s'agit tout simplement d'une notion ancienne mais encore très actuelle qui, d'une part, exige d'évaluer chacun avec précision et qui, d'autre part, permet d'offrir à tous une chance égale de réussite. C'est donc une variation simple sur le thème archaïque voulant que nous soyons tous de misérables pécheurs aux yeux du Tout-Puissant : le golf nous déclare d'emblée pauvres handicapés. Mais du même coup, c'est la reconnaissance de notre état de misère commune qui nous permet d'atteindre l'égalité.

BERNARD ARCAND

On a beaucoup critiqué le golf. Certains disent que c'est un sport snob, ce qui est tout à fait vrai au sud, en Angleterre, mais tout aussi faux au nord, en Écosse ; ce qui est snob à Outremont ne réussirait pas à l'être au golf municipal de l'est de Montréal. On a dit aussi que c'était un sport de vieux, ce qui est tout aussi vrai que parfaitement incomplet. Mais on a surtout dit que le golf n'est pas un sport, ce qui heureusement met le doigt sur l'essentiel. Et les amateurs de golf qui réagissent mal à cette accusation font certainement fausse route en invitant les critiques ignorants à venir s'épuiser sur un parcours vallonné de six ou sept kilomètres par une chaude journée d'été ; les amateurs se trompent en exigeant que ces mêmes critiques qui pensent que le golf est facile essaient au moins de frapper convenablement une balle de golf, ne serait-ce qu'une seule fois. Bien sûr, à ce jeu-là, les amateurs gagnent à chaque coup, et les critiques se rendent follement ridicules. Mais là n'est pas la vraie question et la discussion sur ce plan paraîtra toujours mal engagée. Car le critique a raison : le golf n'aurait jamais dû être classé parmi les sports.

Il s'agit, en fait, d'une religion. Le terrain le golf nous unit en cherchant à éliminer nos différences afin de nous rendre tous semblables : de pauvres handicapés à qui est accordée une chance d'atteindre la normale. Les tentatives pour faire du golf une compétition, en quelque sorte comparable aux autres sports, l'organisation de tournois et de championnats, sont autant de trahisons de l'esprit du jeu et de sa tradition. Peut-être faudrait-il trouver le courage de dénoncer les marchands du temple de la PGA et rabaisser tous les champions au rang de vils et dangereux pharisiens. Car on néglige trop souvent de souligner à quel point le golf cherche d'abord à rassembler. Peu d'activités humaines, par exemple, atténuent autant la distinction entre les sexes : bien sûr, on trouve encore sur les terrains des tertres de départ pour dames, mais c'est surtout par courtoisie vieillotte puisque les résultats des bonnes joueuses font pâlir d'envie la plupart des golfeurs. Et quand le vieux Sam Snead, un jour, a joué son âge, 67, tous les jeunes de 20 ans en ont bavé. Il y a peu d'occupations dans la vie où l'exploit suprême (dans le cas du golf, un trou d'un coup) ait déjà été réussi (d'après le livre Guinness des records) par un enfant de cinq ans à San Antonio, dans le Texas, en 1975, mais également par un vieillard de 99 ans et 244 jours, en Espagne, le 13 janvier 1985.

Sur un terrain de golf, nous touchons de près l'illusion d'être tous égaux et solidaires et que le temps s'est arrêté. C'est très exactement le sentiment que devrait susciter la visite d'une cathédrale.

SERGE BOUCHARD

La qualité d'un club de golf se reconnaît à celle de ses verts. La vraie partie se joue d'ailleurs sur les verts. Ici, les joueurs pénètrent dans un univers feutré, un monde de finesse. Les verts sont lisses et doux, ils doivent être parfaits, ni trop lents, ni trop rapides, ni trop secs, ni trop humides. La moindre brindille et le plus petit lombric s'y font remarquer. Sur le vert, les golfeurs changent de ton et de rythme. Ils murmurent et fonctionnent au ralenti. Ils réfléchissent et étudient. Finalement, l'un deux se recroqueville, se replie sur lui-même et c'est délicatement qu'il affronte son destin. Car voilà la raison de la partie ainsi que tout l'esprit du golf. La balle, une fois doucement frappée, trouve le chemin de la coupe ou bien va s'égarer autour. Il n'y a pas vraiment de demi-mesure, le coup est réussi ou raté.

Lorsqu'un golfeur s'apprête à faire un important coup roulé, la Terre s'arrête de tourner, la corneille retient son cri, le temps est suspendu et cela va si loin que même à la télé, lors de la retransmission des grands tournois, les animateurs sont tenus de la boucler. La télévision qui respecte le culte des verts, c'est déjà la preuve que le golf possède un pouvoir extraordinaire.

BERNARD ARCAND

Le golf propose un exercice d'une très grande simplicité. Les règles anciennes précisaient qu'il suffit d'envoyer une balle d'au moins 1,68 pouce de diamètre, pesant au plus 1,62 once, dans un trou d'un diamètre d'à peu près 4 pouces situé quelque part entre 100 et 500 verges de l'endroit où vous vous tenez, sans prendre la balle dans ses mains ni lui donner de coup de pied, et ce, 18 fois par partie et en frappant la balle le moins souvent possible. La seule autre règle élémentaire du golf précise qu'il s'agit essentiellement d'un dialogue immédiat et direct entre un individu et le cosmos.

D'abord, parce que le golf reste toujours un sport idéalement individuel. Alors qu'ailleurs le joueur trouve des partenaires ou participe à des efforts d'équipe, alors qu'ailleurs il y a la possibilité de s'appuyer sur les autres ou le besoin de faire échec à des intelligences adverses, le golf, au fond, n'engage que soi-même. Moins étroit d'esprit que le jogging et moins risqué que l'alpinisme en solitaire, le golf fait néanmoins partie de ces sports curieux dont le principal terrain de jeu demeure les quelques centimètres qui séparent nos deux oreilles. Le golf est avant tout la poursuite d'un état d'esprit.

C'est donc forcément un exercice par lequel l'individu se découvre et se révèle. Prenez pour exemple les États-Unis, qui nous ont longtemps habitués à des présidents golfeurs. Dans un siècle prochain, l'histoire déduira *a posteriori* que l'on aurait pu comprendre l'essentiel de la politique américaine uniquement en observant que le président Bush jouait au golf à toute vitesse et comme un fou, que Eisenhower jouait avec calme et assurance, que Ford était remarquablement maladroit, alors qu'on imagine facilement Nixon trichant dans les bosquets. Jouer au golf, c'est devoir accepter de se regarder en pleine face. Et cette face doit être capable d'atteindre l'état de grâce du coup parfait, l'équilibre de l'être qui n'est ni fâché ni trop jovial, dont la posture n'est ni trop lâche ni trop rigide, comme le ventre n'est ni trop creux ni trop plein.

Tout cela n'est pas facile, l'esprit n'est jamais seul et le monde agit sur lui. Dans la deuxième moitié de l'équation cosmologique entrent aussi en jeu la nature, le terrain et toutes ses épreuves contre lesquelles le golfeur doit lutter. Tous vous le confirmeront, il y a des jours où c'est le terrain qui gagne. Certains joueurs osent l'attaquer et le triomphe du golfeur représente toujours, au-delà d'une victoire sur soi, un défi remporté contre la nature. On le sait, les golfeurs sont de grands amants de la nature, avec laquelle ils entretiennent une relation intime d'amour-haine. De la même manière que les Vikings lisaient les côtes et le littoral qui les guidaient lors de leurs voyages, de la même manière que les humains ont toujours aimé lire les signes des temps et de l'orage, les golfeurs lisent les verts : penchés sur le gazon court, courbés, accroupis et parfois même à plat ventre, ils scrutent et espèrent découvrir les secrets de la nature qui permettront de la mieux dominer.

Mais si cela est vrai et que le golf veut témoigner de notre maîtrise de la nature, on devrait avoir la modestie d'admettre que nous demeurons encore très timides et qu'il y aurait largement place pour l'amélioration. Car les terrains de golf d'aujourd'hui ne représentent rien de mieux que des solutions tristement peureuses. La nature féroce à laquelle les braves golfeurs lancent leurs défis n'est en fait qu'un milieu aménagé, nettoyé et cultivé par nous, qui avons au fil des ans acquis le pouvoir de dévier les ruisseaux, de nettoyer les étangs comme les sous-bois et de transporter des trappes de sable des rivages d'Écosse jusqu'au centre-ville de Columbus, dans l'Ohio, où elles n'avaient, naturellement, rien à faire. Et bien sûr, on l'a déjà dit, nous savons produire des herbes gazonnées artificiellement entretenues et des verts impeccables qui sortent des entrepôts de l'industrie agrochimique. Tout cela demeure trop facile.

Malheureusement, il faut avouer par surcroît que la plupart des golfeurs ne sortent encore qu'en été et généralement par beau temps; en hiver, on les entend rêver des Carolines. Bref, les golfeurs sont des douillets dont le triomphe sur une nature doucereuse et accueillante reste sans gloire. Nos descendants devront faire mieux s'ils espèrent poursuivre notre conquête. Il leur faudra consacrer notre victoire en défiant un peu plus la nature, surtout à l'instant où elle montre sa puissance. Désormais, il n'y aura plus de tournoi que sous la pluie. Les leçons de golf se donneront dans la tempête. Et l'objectif suprême sera de jouer la normale de nuit, dans le coin de l'œil d'une tornade.

SERGE BOUCHARD

Si nous pouvions être des arbres et nous enraciner une fois pour toutes en un lieu donné, beaucoup d'entre nous choisiraient de pousser sur un terrain de golf sous prétexte que là, plus qu'ailleurs, se trouve la beauté. Certains, je n'en doute pas une seconde, s'imagineraient parmi les palmiers, les pieds plantés sur les rebords d'une trappe de sable, comme sur la frise d'une plage, la tête verte balancée par une douce brise tropicale, jouissant d'une vue discrète sur les recoins d'une baie miroitante et bleutée, flore des lagons où l'air est toujours aussi chaud que bon. Toutefois, rien n'est jamais aussi simple. Il est probable que sur ce sujet, les arbres pensent autrement que nous. Sinon, dans les sous-bois, tout serait propre et nettoyé.

Je connais personnellement des arbres qui, perdus au milieu des aulnages, dans l'inextricable désordre du « bois sale », se donnent un si beau port que c'est en cachette qu'ils développent leur infinie puissance, exprimant à l'abri des regards le secret de leur éternité. Alors pourquoi, sur les terrains de golf, au milieu des allées parfaitement entretenues, les plus beaux arbres meurent-ils ? Se pourrait-il qu'ils souffrent devant un tel abus de propreté ? Désorienté par autant de lumière, l'isolé pousse en bouquet, n'ayant plus de raison de sortir du peloton. Ne sachant où donner de la tête, il s'étale et se répand, la moindre de ses branches se comportant comme un arbre séparé, le tronc principal s'effaçant au profit des bras latéraux qui le font croître par les côtés, finissant par le rabaisser au lieu de l'élever.

Il est bien un remède qui consiste à les élaguer, mais il n'est pas facile à traiter, le sapin qui se prend pour une fleur. Cela prend plus que de l'engrais et de l'eau pour redresser un arbre rongé par un conflit d'identité.

Mais il y a plus. Dans les allées dites si belles, les solitaires sont forcément des cibles. Dès lors, les balles sont meurtrières qui les frappent tant et tant, pour ainsi dire à tous les bouts de champ. Ces colosses attrapent tant de petits coups qu'à la longue, ils se mettent à saigner, perdant un peu de sève à chacun des «tocs» dont la répétition finira un jour ou l'autre par les assassiner. Forcément immobiles, ils vivent dans la perpétuelle angoisse de se faire toucher par ces petites balles blanches que les golfeurs ne cessent de frapper. Or, en raison de son enracinement, l'arbre effrayé peut difficilement se mettre à l'abri ; pour se sauver, il est connu qu'il meurt.

À leur pied et jusqu'au bord du tronc, au niveau le plus bas qui soit sur la surface de la terre, le gazon s'emmerde pareillement. Car ce dernier, contrairement à la croyance des spécialistes, aime la compagnie des mauvaises herbes. Laissé entre des brins trop semblables, il s'ennuie. Le plus bel espace vert est la prison de l'herbe qui s'y désâme. Au golf, le gazon travaille, il n'est pas là pour s'amuser. Pourtant, de son naturel, Dieu sait que l'herbe est folle ; elle a besoin de ces vagues que fait le vent lorsqu'il court sur la tête des foins.

Comme un brin d'herbe court, un parmi des milliards de semblables à lui-même, anonyme et petit, ignoré de tous hormis des tondeuses qui veillent à ce que jamais il ne puisse dépasser, régulièrement piétiné par des golfeurs qui s'amusent, dans l'attente d'être décapité par le fer d'un bon joueur ou par le bois d'un autre, nous nous sentons parfois bien seuls au sein de nos ordres et de nos multitudes, tassés, serrés, retenus dans notre façon d'être, empêchés de pousser...

Bref, être le seul obstacle d'une normale trois, cela ne

remonte pas le moral d'un arbre. Être tondu comme un tapis aussi ras que commercial, cela brime les plus honnêtes ambitions végétales. Ajoutez à cela l'obligatoire fréquentation de la société du golf et dites-moi si cela n'est pas une ruine.

Le golf n'a rien de naturel, à partir de son élan jusqu'à l'essence de son avenant. Les arbres n'y sont pas à l'aise, il n'y a rien de surprenant. Ils se méfient du feu des balles, du jeu des hommes, de la qualité des «*foursome*», de ces costumes bizarres et de cette étiquette, de ces faux espaces mais, surtout, ils savent la solitude qui habite ces lieux pourtant bien fréquentés.

Voilà pourquoi sur les terrains de golf, les plus beaux arbres pleurent.

BERNARD ARCAND

On raconte qu'entre septembre 1963 et octobre 1964, M. Floyd Satterlee Rood a mis 114 737 coups de golf pour traverser les États-Unis d'Amérique. Il a donc joué un trou long de 5 464 km. Et on raconte aussi qu'en chemin, il a perdu 3 511 balles. M. Rood avait très probablement entrepris un tel exploit dans l'espoir d'inscrire son nom dans le livre des records. Mais il est tout aussi possible qu'il se fût agi là d'un extraterrestre en visite qui aurait eu soudain envie de prendre les États-Unis pour champ de pratique. Quoi qu'il en soit, son idée était riche et prometteuse.

Parce que le terrain de golf, dans son acception courante, s'en tient encore à une image restreinte de la nature qui prend forme dans un espace marqué par des allées, quelques trappes de sable et quelques plans d'eau, presque toujours exclusivement consacrés aux végétaux, vastes gazons et petits boisés. On y tolère parfois certains animaux, alligators floridiens, moutons des Pyrénées ou canards peu sauvages, mais en gros, à l'image des parcs nationaux ou de certains sites de préservation officielle de la nature, le milieu environnant est conçu comme une nature bien distincte de nous, un environnement (le mot le dit) physique et animal dont l'être humain ne fait jamais partie et qui, passivement, s'offre en défi au golfeur.

Pourquoi ne pas suivre l'exemple de M. Rood, cesser de fabriquer des espaces de jeu faussement artificiels et replacer l'humain au cœur de la nature dont il n'est finalement jamais dissociable ? Imaginez son coup de fer 7 au coin de Broadway et de la 47e et la trajectoire du coup qui lui a permis de traverser le Mississippi. Imaginez le plaisir d'affronter un parcours qui obligerait à trouver quel bâton frapper pour sortir de Los Angeles et comment contourner l'impressionnante trappe de sable en banlieue de Phoenix, en Arizona. Voilà tout ce qu'il faut pour encourager la propagation d'une nouvelle conception de la nature, certainement plus réaliste dans son refus de séparer l'être humain de son environnement, grâce à un golf plus réaliste, en somme, un golf d'avenir qui enseignerait à traverser les grandes villes en maintenant sa balle blanche dans les parcs publics ou dans les cimetières et en évitant autant que possible de l'envoyer dans le ghetto.

SERGE BOUCHARD

Le jeu de golf est un jeu de tricheurs. Bien sûr, personne ne l'admettra, mais cette complaisance fait partie de la «*game*», comme on dit. Qui n'a pas dans sa vie de golfeur oublié un coup parmi les quelques-uns, toujours trop nombreux, qu'il vient de frapper ? Entre les trous, quand vient le temps de calculer et d'enregistrer les scores, chaque golfeur murmure et fait semblant de reconstituer le trou qu'il vient de jouer. C'est à ce moment précis que vient la tentation de la tricherie. Tout se résume alors à n'être pas trop grossier dans sa déclaration. Les golfeurs, en effet, ont des règles strictes sur le sujet. Il est permis de tricher dans les limites de la confidentialité. Les mauvais partenaires sont ceux qui ne savent pas comment ni quand tricher. Qui n'a pas, dans l'intimité d'un recoin boisé où l'herbe est un peu longue et l'angle franchement mauvais, à l'abri des regards, poussé sa balle du pied afin d'améliorer ses chances ? Qui n'a pas balbutié au pointeur un score amélioré en se gardant la possibilité de se rétracter s'il est découvert, en invoquant une simple erreur de calcul ? Voilà pourquoi le golf est un sport si populaire et si représentatif de notre société. Il est bien représentatif de notre façon collective de nous comporter.

BERNARD ARCAND

Un trou à normale trois typique peut être aménagé à flanc de montagne, avec diverses espèces d'arbres formant deux boisés en bordure de l'allée, avec pour obstacle un ravin et un ruisseau qui doivent être traversés par un pont suspendu, et puis, en bout de parcours, quelques trappes de sable protégeant le vert. Toutefois, le joueur compétent frappera sa balle sur le tertre de départ et elle s'élèvera dans le ciel pour y décrire un arc et retomber sur le vert à quelques mètres de la coupe. De fait, le seul espace de jeu vraiment utilisé n'est qu'un mince cylindre d'air joignant le point de départ et le point d'arrivée. Tout le reste, les arbres, le ruisseau et le pont suspendu, font largement figure d'accessoires et n'entrent jamais vraiment en jeu. Mais ce sont évidemment ces éléments de mise en scène, ces détails du décor, qui font le charme du golf. Cela montre que les gens ont bien raison de voir là une métaphore de la vie ordinaire.

BERNARD ARCAND

Les golfeurs sont des arrogants qui, non contents de défier la nature, ont l'audace de contester les desseins de la création et les intentions de l'évolution. Car ce qui nous distingue le plus fondamentalement des animaux, ce n'est ni la cuisson des aliments, ni le fait de manger avec des ustensiles ou de se brosser les dents, ce n'est ni l'interdit de l'inceste ni nos déprimes suicidaires, pas plus que notre talent pour le rire ou la composition de concertos en *ré*. Tout cela est typiquement humain, bien sûr, mais les éthologistes et les sociobiologistes nous assurent que les animaux ont souvent les mêmes intentions, et que toutes ces tendances se trouvent déjà dans la nature. Nous apprenons presque chaque jour que les animaux sont plus compétents qu'on ne le croyait et que nos meilleures inventions ne sont souvent que des extensions intelligentes de principes élémentaires connus des animaux ; après tout, la bicyclette, la moto, le bateau et l'avion ne sont que des moyens de locomotion, et la *Symphonie pastorale* une variation brillante du chant de l'hirondelle et de la complainte du blaireau. Les humains font mieux, à ce qu'il nous semble, mais ils ne font pas si différent.

Il serait temps de reconnaître que, en fait, ce qui nous distingue le plus nettement des animaux, c'est le swing de golf. Il n'y a rien de pareil ni d'équivalent dans le monde animal. Le geste est même franchement contre nature. Les anatomistes le confirment sur demande, le swing de golf ne vient jamais naturellement et constitue une terrible violence pour le corps humain qui n'a pas été prévu pour une telle rotation. La plupart des grands golfeurs sont affligés de maux de dos tenaces, et c'est justement ce qui les rend si peu semblables à la bête.

Les golfeurs sont des arrogants qui contestent la nature et les plans du Créateur. Il ne faudrait donc pas s'étonner si l'on apprend parfois que l'un ou l'autre d'entre eux a été frappé par la foudre.

XI

LES EXPLORATEURS

BERNARD ARCAND

Déclarer que Christophe Colomb était homme de foi, c'est énoncer rien de moins qu'un grossier pléonasme. Car tous les explorateurs sont forcément des gens de foi, et l'on a tort de croire qu'il faille nécessairement être curieux ou inquiet pour avoir le goût de se lancer dans l'aventure exploratoire. Parmi leurs grandes vertus, la plupart des explorateurs ne se sont jamais distingués par leur charité. Par contre, ce sont des gens de foi : les explorateurs sceptiques ou incrédules restent à la maison. Et, par-dessus tout, ce sont des gens d'espérance. Inlassablement, ils poursuivent sans faillir l'espoir de rencontrer bientôt quelque chose qui sortira de leur ordinaire. Ils n'hésitent presque jamais à explorer attentivement l'inaccessible et le lointain, convaincus qu'ils trouveront là-bas la chance de rencontrer du différent, et peut-être même du meilleur.

SERGE BOUCHARD

Les alpinistes sont devenus de par le monde le premier facteur d'érosion. Ils s'attaquent aux montagnes jeunes, aux sommets acérés. Ils piochent et ils agrippent, ce sont des fourmis de l'exploit qui forment une colonne le long des pentes, sans douter un instant de l'originalité de leur expédition. Puisque les montagnes en sont venues à se faire rares, les grimpeurs ont songé à autre chose : attelons-nous aux falaises de glace.

Dans les hautes gorges de l'arrière-pays de Charlevoix, à la frontière du royaume du Saguenay, sur le cours de la rivière de La Malbaie, juste à côté du pays de Menaud, il est une aiguille de glace, une chandelle énorme qui fond et se refait toutes les années. C'est à la fin un Popsicle de 300 mètres de hauteur. Précisons que ce glaçon se forme dans une vallée désertée par les animaux sauvages, tant le terrain y est abrupt et inhospitalier. Cette curiosité de la nature s'appelle le glaçon de la pomme d'or. Connu jadis de quelques anciens draveurs et de deux ou trois bûcherons, le glaçon jouit désormais d'une renommée internationale. C'est qu'il est célèbre parmi la confrérie universelle des grimpeurs de glaçons. Les Français, les Belges, les Espagnols, les Allemands, les Américains et les Japonais rêvent tous de faire le pèlerinage hivernal qui leur permettra de relever ce défi particulier.

L'homme moderne est ainsi fait. Explorer, c'est jouer, c'est chercher sa limite. S'il voit une grotte, il y pénétrera. S'il voit un puits, il se laissera tomber dedans. S'il voit une montagne de glace, il remuera mer et monde pour obtenir le privilège d'aller y grelotter. À ce compte, il n'y aura jamais de fin à nos explorations. Elles sont devenues une forme de désennui. Il s'agit de faire passer le temps.

BERNARD ARCAND

Pourquoi faut-il que les explorateurs soient nécessairement «grands»? Ne peut-on pas être tout «petit» et quand même explorateur? Car chacun doit bien savoir que, dans les faits, nous sommes tous, grands et petits, et depuis toujours, des explorateurs. Dès que nous avons cherché à tourner la tête pour voir ce qui se cachait au bout de la table à langer, depuis que nous avons essayé de goûter tout ce qui traînait par terre, nous n'avons jamais cessé de nous intéresser aux rumeurs de la vie, aux racontars de nos voisins, ou du moins aux secrets des gens riches et célèbres. Nous explorons les caprices des vedettes, tout comme nous aimons deviner les intentions de la police. Nous avons été faits « senteux », il faut bien l'admettre, et la plupart d'entre nous explorons souvent sans réserve ni relâche les secrets du voisinage et les détails du quotidien.

Alors, où faut-il situer la frontière au-delà de laquelle l'explorateur devient « grand »? Pourquoi est-il nécessaire de raconter le Mozambique, l'Amazonie, le Népal ou la Laponie? Si nous étions résidents de Kigali ou de Katmandou, nés à Karāchi ou à Tombouctou, pourrions-nous y attirer des foules en montrant des diapositives de Rimouski ou de Rivière-du-Loup, en enseignant les techniques du pelletage de la gadoue, l'importance de changer ses pneus pour l'hiver ou le rituel du renouvellement de sa carte d'assurance-maladie? Pis encore, est-il pensable que nos discours du trône, nos doctorats *honoris causa* et nos soirées de gala n'intéressent nullement les explorateurs intergalactiques? Que le Super-Bowl soit moins intéressant que le goût du Gatorade servi sur le banc des joueurs? Que Vivaldi soit moins révélateur que l'idée de produire des sons grâce aux cordes de violon fabriquées avec des nerfs d'animaux massacrés?

SERGE BOUCHARD

De nos jours, ce sont les endroits les plus inaccessibles qui sont les plus fréquentés. Des petits sous-marins habités grattent le fond des fosses abyssales où des poissons aveugles et congelés sont réveillés de leur torpeur par des flashes de caméra. Nul n'enregistre leurs crises de cœur. Eux qui étaient aveugles parce qu'il n'y avait rien à voir apprennent pour la première fois qu'ils vivent dans le noir. Cela les décourage. Il n'est rien de plus triste qu'un cœlacanthe neurasthénique.

La crevette la moins délurée a déjà entendu parler du commandant Cousteau. Lorsqu'un bateau passe au large de Terre-Neuve, la morue se demande si ce ne serait pas le *Calypso*. Certaines espèces des mers tropicales refusent de s'accoupler si leurs ébats ne sont pas filmés.

Dans l'intervalle, sur les corniches sèches et sales de nos façades industrielles et démodées, les moineaux domestiques traversent notre époque un peu à la manière d'une espèce volante non identifiée, animal sans attrait dont les amours ne sauraient nous intéresser.

BERNARD ARCAND

Y a-t-il vraiment tant de différence entre le voyage à l'étranger et l'exploration des trous noirs de l'espace, des composantes de l'ADN, des nouvelles mélodies, des nouvelles stratégies, des possibilités de développement d'une entreprise, ou encore des solutions à un jeu de puissance déficient ?

Quand Claude Lévi-Strauss écrivit : « Je hais les voyages et les explorateurs », plusieurs comprirent tout de suite que l'ethnographe voulait exprimer par là son mépris des voyageurs qui rencontrent et racontent les autres d'une manière trop superficielle, ces gens qui, croyant avoir compris quelque chose à l'étranger, se permettent ensuite d'énoncer toutes sortes d'âneries sur ce qu'ils ont cru comprendre. En général, les anthropologues se méfient beaucoup des touristes, gens dont l'exploration est précontrainte et dont la curiosité s'appuie sur des intuitions qui ont souvent l'allure de certitudes coulées dans le béton.

Mais on peut aussi interpréter tout autrement cette méfiance envers les explorateurs. En rappelant d'abord que l'idée même d'exploration repose sur la prémisse d'un inconnu. Si l'exploration se nourrit de nouveauté et d'extraordinaire, c'est donc que l'exploration exige l'ignorance et que pour être grand explorateur, il faut pouvoir s'assurer d'un public ignorant. Ou aux yeux de ce même public, les explorateurs du voisinage familier n'ont aucun mérite et ne sont donc jamais reconnus.

Voilà pourquoi la solution la plus facile consiste à explorer chaque fois le plus loin possible, à se lancer dans l'inconnu, du sommet de l'Everest jusqu'au fantasme de Starship Enterprise. Pourtant, rien n'empêche qu'en même temps et malgré tous les reculs des frontières de notre ignorance, souvent ce qui appartient à l'immédiat et au plus proche, le banal que nous côtoyons tous les jours, demeure largement obscur. Un public qui se passionne pour le désert du Kalahari tient couramment le quotidien et l'ordinaire pour mystérieux.

Le lointain, dans l'espace comme dans le temps, peut bien rester inconnu, la chose paraît raisonnable et quasi normale. Mais devoir admettre que l'on ne comprend pas très bien ce qui nous est arrivé hier et encore moins ce qui surviendra demain, devoir confesser que nos meilleurs amis demeurent insaisissables, voilà qui peut devenir difficilement supportable. Dès que l'on ne comprend plus très bien le monde ordinaire qui nous entoure, il devient rassurant et réconfortant de se savoir capable d'explorer l'univers entier. Il est alors tout à fait raisonnable de haïr les voyages et les explorateurs, puisqu'ils représentent les aveux de notre impuissance.

SERGE BOUCHARD

L'explorateur contemporain est un technicien et un businessman. Il sait que le secret de la réussite réside dans les moyens, il sait aussi qu'il existe un marché composé de un milliard de pantouflards. Si Christophe Colomb avait disposé d'un cruiser équipé de deux moteurs de 450 chevaux chacun, c'est avec joie qu'il aurait brûlé la *Pinta* et la *Niña* et la *Santa María*. Il aurait congédié son équipage et se serait lancé vers l'inconnu en solitaire, dans un vrombissement comme jamais les plages européennes n'en auraient entendu. Il n'aurait pas rêvé de l'Eldorado et se serait peu soucié de devenir le gouverneur d'un pays chimérique. Car il aurait compté, pour devenir quelqu'un, sur les revenus d'exploitation cinématographique de sa traversée. En deux jours à peu près, il aurait rallié les côtes du Nouveau Monde, plus soucieux de freiner à temps que de toucher terre au plus vite. Et les Indiens, au lieu de devenir les acteurs tragiques d'une catastrophe annoncée, en auraient été quittes pour être les figurants secondaires de cette évolution technique. D'ailleurs, Colomb lui-même aurait eu un problème avec la promotion de sa notoriété. Dans ce genre de choses, en effet, c'est l'objet technique que l'on idolâtre à la fin, et le pilote s'estompe dans la mémoire des générations. Si son superbateau en forme de cigare s'était appelé *Cat Diesel Power,* comme cela arrive souvent, nous nous souviendrions du voyage fantastique du *Cat Diesel Power* en Amérique, de la première traversée sans escale d'un 900 chevaux roulant à plein régime. On se souviendrait du bateau, des ingénieurs-concepteurs, bref, de la machine qui aurait été à l'origine de la découverte d'un continent.

Il s'en dégage une sorte de loi : plus le moyen est dérisoire et désespérant, plus l'explorateur est grand pour la postérité. En revanche, la puissance du moyen rapetisse l'exploit dans sa dimension humaine, dans la mesure où les moyens l'emportent. Cela se vérifie. Nous nous souvenons très bien de Lindbergh qui a traversé l'Atlantique sur les ailes d'un maringouin. Par contre, bien peu de jeunes savent les noms des premiers hommes qui ont marché sur la Lune. Ou le nom des pilotes d'essai de l'avion invisible qui testent actuellement les capacités de cet aéronef en forme de chauve-souris en essayant notamment de faire trois fois le tour du monde en trois jours, et cela sans être vus.

Et si nous avions fait grand cas du bateau de Colomb, l'Amérique s'appellerait Diesel Power, ce qui lui conviendrait tout à fait.

BERNARD ARCAND

Je rêve du jour où je recevrai enfin la visite d'un explorateur. Un Papou ou une Balinaise qui voudront photographier ma cuisine et discuter de mes habitudes vestimentaires. J'imagine que des voyageurs aussi curieux viendront vers moi avec un esprit largement ouvert, qui serait donc réceptif à mes moindres propos. J'aspire à ce jour où je pourrai enfin me décrire comme je m'aime, devant des gens qui n'en savent rien et qui ne disposent pas d'éléments de comparaison. Mais c'est sans doute un rêve et je me trompe, car le Papou noterait d'abord que je ne fais pas l'élevage du cochon et la Balinaise verrait tout de suite que je danse plutôt mal.

SERGE BOUCHARD

Il y a de cela quelques années, je séjournais à Gabès dans le sud de la Tunisie. J'y étais pour l'amour et l'eau fraîche, c'est-à-dire pour aucune raison. Il s'agissait de vivre une passion, de découvrir le monde, de voir ailleurs si nous nous y trouvions. De là, nous avons décidé de nous rendre à Tozeur, une oasis située à l'autre bout de ce petit pays. Pour ce faire, il fallait traverser le Grand Erg oriental et le chott El Djebel, désert salé et complètement inhabité. Il n'y avait pas de route entre Gabès et Tozeur, seulement une piste empruntée par de rares camionnettes, des chameaux et des ânes. Le réservoir rempli d'essence, nos gourdes pleines, sans compter les fruits et le fromage, nous nous sommes lancés sur la piste comme on fait une balade en été, le dimanche. J'ai beau me torturer l'esprit et ressasser le souvenir, ce trajet reste dans ma mémoire comme une des plus belles promenades qui se puissent faire. Il faisait bien 40 degrés, nous étions les seuls facteurs d'ombre. Nous étions considérablement seuls et heureux. Comment ne pas l'être ? Nous suivions de fort belles traces de pneus, nous allions sans obstacles en direction d'un horizon sans fin, c'était le mouvement de la vie et de la liberté.

À mi-chemin, j'ai aperçu une sorte de caravane qui arrivait en sens inverse. Ce n'était pas des marchands d'esclaves. Il s'agissait plutôt d'une expédition d'explorateurs allemands qui filmaient pour la télévision un documentaire sur les insurmontables difficultés et les dangers terribles qui guettent les voyageurs dans le Grand Erg oriental. Ma blonde et moi cherchions la difficulté en question et je suis bien certain de ne jamais l'avoir vraiment rencontrée, si j'oublie la conversation avec ces Allemands enthousiastes qui parlaient assez mal l'anglais. Leur documentaire a certainement connu du succès, et bien des Allemands sont convaincus aujourd'hui que le chott El Djebel est un enfer fréquenté seulement par de courageux reporters. Il est bien certain qu'ils n'ont jamais parlé de nous, nous les amoureux qui traversions le désert pour y pique-niquer. C'eût été déplacé. Comme quoi, la *terra incognita* est un concept qui se cultive bien plus que les terres cultivées.

J'ai souvent repensé à cette anecdote particulière qui m'a

fait comprendre comment se fabriquent les images du sauvage. J'y ai repensé d'autant plus qu'au cours des années suivantes, il m'est fréquemment arrivé de me retrouver sur la route glacée de la baie James, par moins 40 degrés, compagnon à bord d'un camion surchargé dont deux ou trois roues refusaient de tourner parce qu'elles étaient carrément gelées, sur une route isolée où seuls nos phares jetaient un semblant de clarté dans cet hiver abandonné par la lumière, et menacés que nous étions à chaque instant de perdre la maîtrise et de disparaître dans des fossés où nul n'a envie de tomber. Jamais je n'ai vu de vrais documentaires sur cette routine des routiers. Comme quoi, sur la difficulté héroïque d'être, notre objectif est embrouillé. La véritable *terra incognita* ne semble jamais se trouver dans l'angle de nos caméras.

BERNARD ARCAND

Le grand univers de l'exploration a beaucoup changé. Les explorateurs ne sont plus les mêmes et le monde, de toute évidence, se transforme. S'il fallait trouver un bon exemple de cette évolution, il suffirait de suivre la carrière du célèbre Tintin, reporter, justicier, amateur d'aventure et, bien sûr, grand explorateur. Nous avons tous lu comment, en début de carrière, le jeune Tintin, petit Blanc belge, parcourt un Congo imaginaire où il passe son temps à massacrer allègrement les animaux, la nature africaine et à peu près tous les droits de la personne. Par la suite, Tintin voyage en Amérique du Nord, en Inde et en Chine, en Amérique du Sud, au pays de l'or noir, en Écosse mystérieuse et dans des Balkans plus inquiétants encore. Chaque aventure l'entraîne dans des univers merveilleux peuplés de stéréotypes étincelants.

Par la suite, cependant, on dirait que peu à peu l'éternel

Tintin vieillit malgré tout et que ses aventures se compliquent. Les objets de ses explorations deviennent plus complexes, et l'exotisme prend la forme de la Lune, du yéti ou d'un extraterrestre. Mais finalement, la carrière de Tintin se termine sur trois albums qui résument assez bien l'état général de l'exploration moderne. Premièrement, il y a ce *Vol 714 pour Sydney,* qui montre que l'envers du monde, le point de la planète pourtant le plus éloigné de Liège, ne suffit plus : même l'Océanie lointaine nous est devenue trop familière, et la seule façon ici de justifier la notion d'exploration pour quelques extraterrestres un peu flous mais sûrement très exotiques. Puis, il y a *Tintin chez les Picaros* qui nous fait pénétrer au plus profond d'une jungle sud-américaine, caricature typique de l'éloignement par excellence, mais seulement pour dire qu'elle n'a justement plus rien d'exotique puisque cette jungle hier encore sauvage est désormais tous les jours explorée par des autocars de touristes et des vendeurs d'assurances. Enfin, il y a l'album remarquable des *Bijoux de la Castafiore* où nos héros ne quittent même plus le domaine de Moulinsart. Une aventure à la maison, en somme, dont la seule note d'exotisme est apportée par une bande de gitans dont Tintin insiste pour affirmer la très profonde humanité et l'absolue non-différence. Dans *Les Bijoux de la Castafiore,* l'exploration engendrée pour les besoins de l'aventure demeure un cheminement tout intérieur : le capitaine serait amoureux, dit-on, tandis que le pianiste inoffensif cacherait un joueur maladif.

C'est ainsi que les aventures de Tintin parcourent le cycle complet de l'exploration moderne. Depuis les débuts de l'expansion coloniale européenne jusqu'à l'époque la plus actuelle; depuis le bon vieux temps, quand l'étranger commençait à sa porte, jusqu'au moment où l'on se convainc qu'il ne reste d'exotique et de stimulant que les mystères obscurs de l'âme humaine.

SERGE BOUCHARD

L'histoire se fait de ceux qui passent, elle se fout royalement de ceux qui restent. Sa mémoire s'accroche aux moindres mouvements de l'explorateur, de l'aventurier, du militaire et du guerrier. Elle détaille religieusement les efforts du touriste et du docteur, du prêtre missionnaire, du fonctionnaire, du prospecteur, de l'arpenteur. Elle ne sait rien de tout le reste, car ceux qui restent sont des restants. Les humbles figures de l'intervalle répugnent à la chronique du souvenir; sur leurs interminables jours, il n'y a rien à dire.

De ce point lumineux qui scintille sur la Côte Noire, nous ne retiendrons rien, sinon le nom de celui qui, de son bateau, une nuit en passant bien au large, l'aura furtivement aperçue. Celui qui passe à l'honneur du passage et ceux qui font le monde à force de s'y enraciner en sont quittes pour les regarder passer. Nous n'avons pas de respect pour ceux qui se sont crevés dans le temps et sur le champ afin d'occuper la place, en attendant les événements. Ne pas être consiste à exister seulement si quelque chose se passe, quand un notable patenté séjournera chez toi, lorsque par hasard ou par stratégie, un général fera du champ de ta vie son champ de bataille.

Nous reboisons les champs que nos aïeux ont mis des vies à défricher. Nous levons le nez sur ces terres et ces endroits que nous décrétons sans valeur du moment que nous n'en avons rien à dire. La tenue quotidienne des lieux, les petites victoires sur l'espace, les travaux et les jours de l'anonyme qui peine, voilà bien ce que l'histoire laisse échapper. Le pas à pas est en réalité un nez à nez avec une nature qui ne fait pas de cadeaux. Les restants sont au fond des résistants, et je crois dur comme fer que ce sont eux, les vrais héros.

L'histoire se fait de ceux qui passent, elle se fout bien de ceux qui restent. Elle fera cent fois le tour de Champlain, mais elle n'a pas une page à consacrer à la vie des matelots qu'il laissait sur la rive dans l'intention d'en savoir plus sur un pays et un hiver qu'il comptait bien apprivoiser sans avoir à l'arpenter lui-même. Bref, nous glorifions l'aventurier dont l'acte est en soi passager, mais nous faisons la sourde oreille au train-train des affaires humaines, c'est-à-dire au véritable sentier de notre occupation. Jules Verne écrivit cette très belle phrase : «Il était de ces Anglais qui font visiter par un domestique le pays qu'il se trouvait à traverser.» Cela dit tout. Il est un seuil que la noblesse ne franchit pas.

Honneur aux ermites, aux trappeurs d'autrefois, aux colons abandonnés, aux femmes encabanées, à ceux et celles qui tenaient feu et lieu là où il n'y avait ni feu ni lieu, honneur à ceux qui savaient parler aux chevaux et aux bœufs, aux arbres et à la mer, qui savaient être en ne comptant que sur eux-mêmes et qui vivaient à la lumière de leurs propres yeux.

C'est en quelque sorte une chance que l'histoire se refuse à les inclure dans son traité. Cette apparente injustice n'en est pas une, en vérité. Car, n'être nulle part colligé, voilà peut-être la condition première de l'exercice de la liberté.

BERNARD ARCAND

Le personnage de David Livingstone représente l'un des modèles classiques de l'explorateur, et le récit de sa rencontre avec Henry Stanley, au cœur de l'Afrique la plus profondément noire, demeure à ce jour un des grands moments de l'histoire de l'exploration moderne. Pendant trente ans de voyages héroïques, Livingstone a consacré toutes ses énergies à un travail de missionnaire pour la chrétienté, au commerce et à la propagation de la civilisation européenne. Quittant son Écosse pour l'Afrique du Sud, il a ensuite exploré le continent vers le nord à partir de 1841, inlassablement, à la recherche de nouvelles âmes à convertir. On dira vite de lui qu'il a découvert des routes et des vallées, des lacs et des rivières, et principalement les grandioses chutes Victoria. Et quand Livingstone retourne en Angleterre, en 1856, on parle beaucoup de lui, il est devenu un héros national.

Dix ans plus tard, en 1866, Livingstone repart pour l'Afrique, cette fois à la poursuite des sources du Nil, une obsession des géographes et des explorateurs de l'époque comparable à la recherche de l'Eldorado ou du passage du Nord-ouest. Mais comme Livingstone est le seul Européen de son expédition, l'Angleterre perd rapidement sa trace. Sans nouvelles, les rumeurs circulent, et certains racontent qu'il est sûrement mort. Comme l'intérêt du public grandit chaque jour, le propriétaire du *New York Herald Tribune* confie à l'un de ses journalistes, M. Henry M. Stanley, la mission de retrouver Livingstone. Stanley, un Américain apparemment sans vergogne, entreprend donc de contourner une partie de l'Afrique pour ensuite pénétrer à l'intérieur du continent et rejoindre Livingstone. Et c'est ainsi qu'à la suite de nombreuses aventures, qui feront plus tard les délices de ses lecteurs, Stanley arrive finalement à Oujiji sur les bords du lac Tanganyika. Là, apercevant un vieillard à la peau blanche, il aurait prononcé cette phrase qui est tout de suite passée à la postérité : «*Doctor Livingstone, I presume?*»

Ce que ce genre d'histoire ne dit jamais, c'est que Oujiji était à l'époque un important centre de commerce, que Livingstone avait monté toute son expédition avec l'aide de serviteurs asiatiques et africains, que la région était également fréquentée par les Portugais, et surtout, que la rencontre des deux hommes eut probablement lieu sur une place publique fréquentée par des milliers de personnes qui, au même moment, vaquaient à leurs propres affaires, variées et sans doute importantes. On peut aussi imaginer que pour les millions de Bantous habitant la région, il ne restait absolument rien à découvrir sur le lac Tanganyika. Les chutes Victoria avaient toujours coulé à cet endroit où l'on était né, et personne ne se demandait pourquoi il était si important de connaître les sources du Nil.

Nos explorateurs étaient de grands hommes. Il est incontestable qu'ils étaient aussi de véritables grands explorateurs. Mais toute grandeur est relative : car encore faut-il s'entendre sur l'instrument de mesure et ne jamais oublier que ces grands hommes sont aussi des héros préfabriqués.

XII

LE CRAPAUD

Serge Bouchard

Avant d'être crapaud, il faut être têtard. Entre la métamorphose et la hiérarchie, il y a des liens de parenté. Comme quoi il est des formes à ce point laides qu'elles touchent à une manière de dignité. Il nous a fallu faire notre temps de poisson avant que d'accéder au privilège d'être reptile. Mais qu'avons-nous gagné ? Que voulez-vous, il faut que le temps passe et la nature a plus que des raisons, elle a des lois. Les temps changent, ils changent tout ce qui les touche. Le têtard resterait têtard si le temps ne passait pas et si la nature ne respectait pas ses propres lois. L'observation scientifique la plus rigoureuse a démontré que, sans l'ombre d'un doute, tous les crapauds ont au départ été têtards, et c'est parce qu'en ces âges-là ils ne sont pas morts, aux becs des hérons, aux bouches des poissons, aux bouches des égouts, qu'on les retrouve un peu plus tard, en poste sur un nénuphar, parfaitement en forme, au titre de vrais crapauds normalement constitués.

La laideur du crapaud ne nous fait pas horreur. Elle est plutôt une sorte de mesure : «Plus laid que ça, tu meurs...» Je dirais même que cette laideur nous inspire, comme si le crapaud avait quelque chose à nous dire. Ce qui explique peut-être notre manie de constamment l'interroger, de le sonder afin de l'introduire dans notre sort et dans nos songes, de le disséquer à la clarté pour les besoins de la pédagogie, de le disséquer à la noirceur pour les démons, en leur honneur. Car le sang noir du crapaud fait bonne figure dans les recettes des sorcières, dans la composition secrète de ces horribles mixtures qui vous transforment en chien aussitôt qu'on les boit. Combien de beaux princes dans un échantillon ?

Autrement dit, si le crapaud nous rebute, il n'est pas pour autant une menace dans notre imaginaire, contrairement à la plupart des reptiles qui, eux, n'ont que du mal à nous faire. C'est pour nous mordre que les serpents ont été mis sur Terre.

Malgré nos études savantes, le crapaud demeure un mystère, une pièce importante dans le grand tableau de la nature, qui est le poème énigmatique par excellence, comme chacun sait depuis que Platon nous l'a dit. Chez cette espèce particulière et dans la nuit des temps, il a dû se passer un grand événement. Il y a fort à parier que cet événement a été fabuleux. Peut-être ont-ils vu le diable, peut-être, mieux, ont-ils vu Dieu ? En tout cas, les crapauds ne l'ont pas oublié, ce qui explique que leurs yeux soient à ce point exorbités.

Petit crapaud, moyen crapaud, face de crapaud, le tout exprime une mentalité. Le plus beau crapaud est celui-là qui sera le plus gros, le plus galeux, le plus humide, celui-là qui se cache dans le recoin des mares ou dans le fond des puisards. Tandis que le plus « rebondissant » est celui qui nous échappe et nous surprend. Généralement à l'ombre, il se replie dans une position qui nous mystifie : le crapaud, en effet, reste toujours assis. Se pourrait-il qu'il trône ?

Après avoir vécu l'humiliation du temps de sa jeunesse, après avoir traversé un océan de risques avant de devenir le seul têtard survivant de la flaque, le crapaud s'installe au sommet de sa condition : être le plus laid de la création puis s'asseoir aux premières loges où, sur une plage de cinquante ans, il aura toute la beauté du monde à observer.

BERNARD ARCAND

Si l'on voulait expliquer le rôle de la culture dans notre perception de l'environnement, le crapaud pourrait facilement nous servir d'exemple. Autrement dit, si l'on cherchait à expliquer comment les animaux ne sont pas dans la nature nécessairement tout à fait semblables à ce que nous avions imaginé, le crapaud serait tout indiqué.

Considérez à quel point la peur des serpents est, encore aujourd'hui, très généralement répandue. Depuis le temps reculé du paradis terrestre, tous nos ancêtres nous ont enseigné la crainte du serpent et nous avons prudemment appris à ne jamais écouter ses propos, à nous méfier de sa morsure et à toujours essayer de le fouler aux pieds. Et pourtant, les gens qui connaissent mieux que nous les reptiles, parce qu'ils les fréquentent quotidiennement, maintiennent que notre peur du serpent demeure largement injustifiée et irrationnelle, et que c'est plutôt du crapaud qu'il faudrait apprendre à se méfier. Car, au dire de plusieurs Indiens d'Amérique du Sud, il est très rare que l'on se fasse mordre par un serpent, et sa morsure n'est presque jamais mortelle. Par contre, la peau de certains crapauds contient un violent venin acide qui peut brûler l'épiderme ou, s'il est bu, provoquer des nausées graves et des problèmes respiratoires sérieux. On peut même en mourir.

Cela démontre que nous pouvons nous tromper dans notre appréciation des animaux : le serpent est timide et le crapaud méchant. De la même manière, il faudrait plutôt dire que l'écureuil est un vulgaire rat à queue poilue, alors que la petite salamandre que l'on appelle communément « moron » est en fait un animal tout à fait charmant et assez subtil.

Et, soit dit en passant, tout en corrigeant ce que l'on croit connaître, on devrait aussi montrer un peu plus de respect pour les savoirs parallèles et moins orthodoxes des vieilles sorcières, du moins tant que l'on n'a pas soi-même goûté la potion maléfique à base de venin de crapaud.

SERGE BOUCHARD

Les gens de parole, c'est-à-dire les gens qui parlent bien, qui savent se servir de leur langue, ont inventé depuis longtemps cette expression : être crapaud. Lorsqu'on dit de quelqu'un qu'il est « un peu crapaud sur les bords », cela veut dire mille et une choses. C'est une expression immense qui recouvre un très grand nombre de marais sémantiques.

Celui dont on dit qu'il est « pas mal crapaud » est un être insaisissable et fuyant, qui rebondit toujours, un peu renard, un peu retors, sans malice, imprévisible, joueur de tours, rapide, qui cache sous des dehors simplets une subtilité farouche au point d'en être mystérieux, dont la mécanique et les ressorts ne sont pas apparents. Logique cachée, en somme. Esprit tordu mais efficace. Une pensée qui ne se fatigue pas et qui n'est pas tuable. Obstinée, intraitable, inqualifiable, solitaire, non conforme. Lorsque au cours d'une conversation banale et courante, vous entendez l'un dire à l'autre : « méfie-toi d'un tel, il est pas mal crapaud », il veut dire tout cela et probablement plus encore. Une vieille tante qui aimait les séries policières à la télévision répétait souvent : « Colombo, y est pas mal crapaud. »

BERNARD ARCAND

Le crapaud est notre ancêtre à tous. Ce qui devrait suffire à nous inquiéter, disent maintenant certains écologistes.

En effet, il y a de cela plusieurs millions d'années, le

premier vertébré qui réussit à sortir de l'eau pour voir ce qui se passait sur terre était un crapaud. Et, comme s'il voulait ne prendre aucun risque, le crapaud a ouvert les premiers yeux à n'être plus embués par l'eau sale, tout en conservant trois paupières pour se protéger contre les spectacles désolants. Méritant son titre historique de premier vertébré, le crapaud a ensuite développé la première de plusieurs vertèbres, l'atlas, qui lui permettait de bouger la tête de gauche à droite, lui donnant en somme, contrairement aux poissons restés sous l'eau, la possibilité de dire non. Bref, la loi de l'évolution paraît claire : le crapaud s'est le premier aventuré bravement sur terre, parfaitement équipé pour se boucher les yeux et dire non.

Malheureusement, aucune recherche en histoire naturelle n'a pu établir combien de fois au juste, en tant de millions d'années, les crapauds ont dit non ou fermé les yeux pour ne plus rien voir. Par contre, nous savons par expérience qu'une fois sortis de l'eau, les crapauds n'ont jamais voulu aller bien loin. Ils sont demeurés près des étangs et des mares. Comme s'ils n'avaient jamais pu étouffer un doute profond et incessant, comme s'ils n'avaient jamais pu se convaincre que le fait de sortir de l'eau avait été une bonne idée. Depuis les tout premiers temps, ils se tiennent sur une feuille de nénuphar ou sur une roche, prêts à sauter et à retourner dans l'eau à la moindre occasion ou à la première crainte. Il faut croire que les crapauds, soit ne sont pas aventureux de nature, soit sont des sages peureux qui refusent le sevrage. On ne le saura probablement jamais, c'est le grand secret du crapaud que n'ont pas réussi à percer des millions de dissections dans les cours de biologie.

Or, depuis cinq ou dix ans, plusieurs observateurs ont noté que les grenouilles et les crapauds se font moins nombreux. On les voit beaucoup plus rarement, on les entend de moins en moins, et ce, partout sur la planète. Certains écologistes en sont affolés, et le sujet est maintenant à l'actualité de l'inquiétude publique. Les plus optimistes parlent d'une fluctuation cyclique normale des populations de batraciens, tandis que d'autres concluent que la diminution récente de la couche d'ozone protectrice a évidemment frappé d'abord ces animaux mal protégés par leur peau nue et humide, dont la disparition rapide nous annonce à nous tous, animaux sans carapace, des lendemains particulièrement difficiles. Les amis des crapauds leur souhaitent d'être simplement retournés au fond d'océans un peu plus vivables. Les plus cyniques, finalement, ironisent sur le temps que les crapauds ont mis à se rendre compte que le fait de s'aventurer sur terre n'était pas une si bonne idée. Et les méchantes langues concluent que les crapauds ont toujours été des peureux sans courage, qui n'ont jamais eu d'éloges que pour la fuite et qui, malgré toutes les apparences, ont toujours refusé de se mouiller.

SERGE BOUCHARD

Je plonge une autre fois dans l'univers de mon passé et j'y retrouve des crapauds à la pochetée. Nous jouions au hockey dans la rue et une balle bleu-blanc-rouge nous servait de rondelle. À cette époque pas si lointaine mais désormais fort éloignée en raison des progrès enregistrés dans le génie civil et public, les couvercles des puisards se distinguaient par la grande ouverture des fentes qui permettaient à l'eau de s'y engouffrer. Les ingénieurs d'alors songeaient à la course de l'eau, mais ils n'avaient guère de sensibilité pour les cyclistes ou même pour les handicapés. Mais ils oubliaient surtout les jeunes joueurs de hockey dont l'enthousiasme était trop souvent brisé par la chute de leur unique balle dans ce que nous appelions tout simplement le canal.

D'où ma spécialité. J'étais le seul dans le quartier à

pouvoir récupérer ces balles perdues. Je descendais jusqu'au fond du trou d'homme, héroïque, admiré, et je compensais ma faiblesse au hockey par cet exploit particulier. À tous les coups, je trouvais un crapaud dans le fond, crapaud que je remontais à la surface en même temps que la balle, ce qui augmentait l'admiration de mon petit public. Mais la partie reprenait de plus belle, car les joueurs de hockey ne s'intéressent généralement pas au crapaud. Je restais donc seul avec lui et dix fois sur dix, je préférais sa compagnie.

Que de questions ne me suis-je posées au sujet du crapaud ? Comment peut-on être aussi laid ? Comment et pourquoi arrive-t-on à vivre dans le fond d'un canal ? Par des voies souterraines ? Ou par le haut, en y tombant comme la pluie ? Pour les crapauds, ce puisard est-il un piège et un cachot ou bien un palace ? Cherchent-ils à sortir, tiennent-ils à rester ? Quelle est cette idée de s'asseoir, à la noirceur, respirant une fraîche puanteur, en apercevant la lumière au-dessus de sa tête ? Quelles sortes de relations entretiennent-ils avec les rats d'égouts ? Que savent-ils du vaste monde, les crapauds des puisards ? Comment se trouver une blonde dans un cercle aussi creux et aussi retiré ? Que faisaient ces crapauds avant l'invention des municipalités ? Que seraient les crapauds devenus s'ils s'étaient une seconde aperçus dans un miroir ?

De la sorte, je passais quelques heures à réfléchir. Bien sûr, le crapaud ne répondait jamais à mes questions. L'éloquence batracienne demeure une énigme pour l'homme.

Mais je cherche encore aujourd'hui ce livre, cette thèse scientifique qui aurait pour titre : « Le sale crapaud des villes : ses mœurs et ses coutumes, ses gales, son être et sa raison, les causes de sa reproduction, son amour des puisards et ses grandes ambitions. »

BERNARD ARCAND

Trop de gens se plaisent à répéter que la laideur, à l'inverse de la beauté, aurait l'avantage d'être une qualité qui dure longtemps. Sans doute, cette remarque demeure souvent véridique et on en trouverait chaque jour des preuves, mais il faudrait davantage prendre conscience qu'une telle affirmation vient très directement contredire l'une des principales leçons de morale de notre imagerie populaire. Car dans presque toutes les situations, nous aimons croire que la laideur sera un jour abolie, corrigée, ou du moins compensée. Souvenez-vous que le vilain petit canard se révèle plus tard un cygne majestueux. Et vers la fin d'une autre histoire, la bête se transforme en beau, au grand bonheur de sa belle. Ailleurs encore, on dira couramment d'un enfant réservé qu'il ressemble à la petite chenille sur le point de briser son cocon pour s'envoler comme un superbe papillon. Et nos meilleurs auteurs dramatiques s'arrangent de manière que même l'horrible Quasimodo puisse finalement connaître un peu d'amour. Nous voulons croire à la métamorphose toujours possible, demeurer jusqu'à la fin convaincus que la chance a la bonne habitude de sourire à n'importe qui et, à la limite, que même les misérables peuvent s'en sortir.

Seul le crapaud semble faire exception à cette règle du bel optimisme mal tempéré. Comme quelques autres espèces dégoûtantes, le crapaud est essentiellement laid, mais dans son cas, quand l'animal se transforme, c'est dans le mauvais sens. Le petit têtard, pas si vilain et somme toute assez sympathique, se convertit un jour en crapaud visqueux et verruqueux, animal en forme d'épingle à linge ouverte, sauteur gluant et grand amateur d'escargots en Bourgogne, doté d'une langue fourchue et de sinistres yeux obscurs : regardez un crapaud dans les yeux et vous contemplerez l'enfer, écoutez ses coassements et vous entendrez l'outre-tombe.

La laideur du crapaud représente non seulement une qualité durable, mais d'abord une qualité acquise. L'animal incarne la laideur comme destin funeste, certains diraient : comme châtiment. C'est donc une punition sévère que nous imposons aux autres en les qualifiant de crapauds. Les anciennes sorcières savaient bien qu'elles faisaient montre de leur pouvoir en menaçant de changer n'importe qui en crapaud. Comme il paraît juste et raisonnable que les ignobles bourgeois capitalistes aient été si souvent dépeints sous les traits d'un gras crapaud sans cœur ni pitié. De la même manière, le pharaon qui s'entête et refuse de libérer le peuple hébreu attire sur lui la colère de Yahvé qui lui envoie la seconde plaie d'Égypte en infestant le pays tout entier de grenouilles. Tous ces fléaux ont beaucoup de sens : le crapaud est un bon thème de menace et personne ne voudrait être réduit à l'état de crapaud.

Par contre, la baudroie, grand poisson des mers, ne nous a jamais rien fait. Et la scorpène, petit poisson à tête épineuse, ne demanderait pas mieux que de devenir notre ami. Ces deux habitants des milieux aquatiques n'ont aucun lien de parenté avec les batraciens. Pourtant, nous appelons communément la baudroie et la scorpène « crapauds des mers », uniquement parce que l'un et l'autre sont extraordinairement laids. Or, si nous affirmons par ailleurs que la laideur du crapaud représente un châtiment, il devient logiquement inévitable d'imaginer que la baudroie et la scorpène sont des espèces coupables d'un crime ancien pour lequel elles subissent la punition. On le voit tout de suite, ils ont l'air accablés par la laideur, donc coupables. C'est dire que sur la seule base de leur apparence physique, nous jugeons d'emblée le caractère et la moralité de deux individus dont nous ne savons, dans le fond, rien du tout. C'est dire aussi que les crapauds, qui servent parfois dans nos écoles à l'apprentissage cruel du système nerveux, devraient aussi être utilisés dans l'enseignement élémentaire des dangers du racisme et des vertus de la tolérance.

SERGE BOUCHARD

C'est ne pas être beau que d'avoir une face de crapaud. Cela a quelque chose à voir avec l'écart des yeux, qui est une sorte d'anomalie qui porte un nom dans les cahiers de médecine. L'individu qui vient au monde avec les globes oculaires trop distancés présente généralement un faciès associé à celui du crapaud. Et si en plus il a une mauvaise peau, quelques aspérités et deux ou trois boutons, alors l'analogie est incontournable.

Nous avions un copain de ce type, dans notre classe, à l'école primaire. Nous l'appelions d'ailleurs crapaud. La cour d'école est si primaire. Et les enfants sont si méchants. Se faire crier des noms est déjà très difficile. Ne s'en faire crier qu'un est franchement insupportable. Crapaud ne souriait jamais, il était très malheureux. C'est le seul crapaud que j'aurai vu pleurer. Je ne sais pas ce qu'il est devenu, ce dénommé Crapaud, ni en quoi il s'est métamorphosé.

BERNARD ARCAND

Personne n'ignore qu'à la toute fin de l'histoire, ils vécurent heureux et eurent ensemble, si l'on veut, beaucoup d'enfants. Oui, mais avant? Avant, on sait que les futurs amants découvrent l'amour et décident de vivre ensemble pour toujours. Mais qu'est-ce qui précède cette belle décision? Tout le monde sait qu'au préalable, le crapaud doit se transformer en beau jeune homme, parfois même en prince très charmant, hautement aimable et presque parfait. Bien sûr, mais tout juste avant cet épisode de la transformation magique? Dans la fable des frères Grimm, la jeune fille accueille le crapaud dans son lit et l'embrasse (de manière plus ou moins pudique, selon les versions du conte). Voilà donc la véritable énigme et le mystère non résolu : qu'est-ce qui a bien pu pousser une belle jeune fille à embrasser de la sorte un crapaud vulgaire et certainement assez dégoûtant ?

Les frères Grimm proposent une réponse mercantile et plate : la jeune fille avait perdu une balle en or que seul le crapaud pouvait lui rendre. D'autres versions demeurent vagues et racontent que le crapaud a tout simplement réussi à attirer sur lui la faveur de la fille. Il aurait en somme gagné au grand jeu de la séduction. Or, pour qu'un horrible crapaud séduise une jolie jeune fille, il doit bien se cacher dans cette histoire quelque grande leçon de morale à l'intention de tous les petits enfants.

À première vue, on dirait qu'il s'agit d'une histoire pour petites filles. Bruno Bettelheim voit dans ce conte la découverte par la jeune fille d'une sexualité qui lui paraît encore inquiétante et repoussante, comme un crapaud ; mais on sait que les psychanalystes n'ont pas autre chose en tête. Une lecture plus féministe, par contre, y lirait probablement un enseignement inversé sur les malheurs de la condition féminine : ici, le crapaud devient un prince, alors que dans la vraie vie, les femmes connaissent surtout la transformation inverse.

Sans peser plus sérieusement la valeur de ces interprétations, il semble aussi que ce conte pour enfants offre un enseignement très général sur ce qu'il faut attendre de la vie en société. Car toutes nos relations sociales, au fond, sont fondées sur les règles du grand jeu de la séduction. Nous approchons les autres de la même manière qu'ils nous approchent, et dans cet interminable jeu collectif d'avances et de reculs, quelques personnes deviennent nos intimes, nos plus proches, ceux et celles en qui nous pouvons avoir confiance et à qui on peut tout révéler. Reste qu'on ne peut être, chaque fois, absolument certain, et que la vie exige parfois des actes de foi aveugle. Au moment d'avancer dans la séduction et de franchir l'étape suivante, on rencontre bêtement le doute, une dernière hésitation au seuil de l'abandon complet, une fraction de seconde d'insécurité ou de conscience de l'aventure. C'est le moment d'assumer l'inévitable risque, celui que prit une belle jeune femme en embrassant un vilain crapaud, et qui, dit-on, lui a beaucoup profité.

C'est ainsi que les contes constituent généralement de grandes œuvres de moralité publique. En plus de soupçonner que les vilains frères Grimm espéraient être embrassés par les jeunes filles, on apprend par cette histoire naïve de crapaud que souvent la vie paraît laide et que le monde n'est pas toujours beau, mais qu'il faut néanmoins ne pas s'en décourager et savoir prendre plutôt quelques risques dans l'espoir de découvrir le bonheur de vivre toujours heureux. Et l'histoire est plaisante parce que tous savent déjà combien il est essentiel de rendre la laideur attrayante.

SERGE BOUCHARD

Je viens de lire un livre ancien, publié en 1861, dont le sujet est la métamorphose des animaux. L'auteur consacre un chapitre au crapaud ; il y raconte notamment une histoire aussi vraie que remarquable visant à démontrer que le crapaud peut se domestiquer.

Un gros crapaud vivait dans l'obscurité sous le balcon d'une maison isolée. Le voyant là depuis un an, le propriétaire de la maison entreprit de lui donner un peu de nourriture qu'il déposait sur le balcon. Le crapaud venait y manger. Cette nourriture était déposée là à heure fixe. Après une année de ce régime, le crapaud bondissait de lui-même à trois heures de l'après-midi de toutes les journées afin de réclamer sa pitance.

Mais ce n'est pas tout. Lentement, l'entraîneur l'entraîna à l'intérieur de la maison. Après vingt ans d'un semblable régime, les deux compères mangeaient ensemble sur la table de la cuisine. Et tous les jours que le bon Dieu amenait, le crapaud sortait de son trou à midi, sautait sur le balcon, attendait qu'on lui ouvre la porte, bondissait à travers le salon et s'amenait dans la cuisine. Après avoir bouffé, il s'en retournait lentement. Cette amitié dura plus de vingt-cinq ans. C'est un visiteur qui, apercevant un crapaud dans le salon, et croyant bien faire en lui fracassant le crâne sur-le-champ, mit fin à l'aventure.

L'histoire ne dit pas ce qu'il advint du vieil homme qui avait consacré vingt-cinq ans de sa vie à l'élevage d'un crapaud auquel il s'était sûrement attaché.

L'histoire, d'ailleurs, ne dit jamais rien sur la solitude des hommes qui perdent tout sur un coup du destin.

XIII

LA POUBELLE

BERNARD ARCAND

Il est toujours facile de critiquer la fonction publique et de se joindre au concert des accusateurs mal informés qui prétendent que tous les fonctionnaires ne sont que des paresseux serviles et obtus qui ne tiennent pour certains que leur emploi et le fait de n'être eux-mêmes jamais responsables des règlements. Or, s'il fallait démontrer que ces accusations populaires sont parfois injustes, on devrait citer le cas exemplaire de M. Poubelle, fonctionnaire émérite.

Eugène René Poubelle aimait la propreté. L'histoire raconte qu'il était lui-même très soigné, attentif à sa tenue, tiré à quatre épingles, comme on dit, et qu'au bureau ses collègues l'avaient surnommé Apollon. Du temps où il était préfet de l'Isère, M. Poubelle avait essayé, sans succès, de faire respecter l'ancien règlement qui imposait aux locataires d'évacuer leurs ordures ménagères dans des seaux ou des caisses munis d'une anse. Peine perdue, Grenoble restait sale. « Monté » à Paris et devenu préfet de la Seine, M. Poubelle eut l'idée simple mais ô combien géniale d'imposer, non plus les locataires, mais leurs propriétaires, lesquels se virent désormais, selon l'arrêté du 7 mars 1884, obligés de mettre à la disposition de leurs locataires un ou plusieurs récipients communs destinés à recevoir les ordures. Le contenu de ces récipients déposés dans la rue serait ensuite évacué par des véhicules des services municipaux puis envoyés aux dépotoirs, aux sites d'enfouissement ou aux incinérateurs.

Eugène René Poubelle venait tout simplement d'inventer la poubelle. Et c'est un détail remarquable de son histoire que presque tout de suite, ses récipients devenus obligatoires lui volèrent son nom. Car le plus étonnant dans ce récit, et ce qui montre bien la grande générosité de ce fonctionnaire modèle, c'est qu'en contribuant à la propreté de la nation et en enrichissant d'un mot nouveau la langue française, Poubelle, du coup, faisait le sacrifice de son nom. Lui qui venait de donner la poubelle à tous les Français, lui dont l'invention, comme on dit, allait faire des petits, lui-même se trouvait à y perdre en même temps sa propre descendance. Modeste et généreux, Poubelle s'est donc sacrifié pour le bien de la nation. Car on imagine difficilement que quelqu'un eût pu, par la suite, se promener en France en se dénommant Poubelle. Il n'y a personne du nom de Poubelle dans le *Who's Who* français.

C'est ainsi que le fonctionnaire Poubelle abandonna complètement son identité au profit de ses concitoyens. Il y eut d'abord transfert de sexe : *monsieur* Poubelle est devenu *une* poubelle. Puis, l'oubli. Dans le dictionnaire *Robert* des noms propres, à Poubelle, on a longtemps dit tout bêtement : « voir dans l'autre *Robert,* poubelle, nom féminin ». Dans l'encyclopédie *Focus,* on trouve une description de l'objet, mais l'on précise seulement entre parenthèses que le mot nous vient du nom d'un individu. L'encyclopédie *Universalis* passe de Potlach à Pouchkine sans dire un mot sur Poubelle. Et ce qui paraît encore plus scandaleux, même le *Grand dictionnaire Larousse universel du XIXe siècle* ne fait aucune mention de l'inventeur de ce qui a pourtant dû modifier considérablement la vie quotidienne de tous ceux et celles qui ont vécu au XIXe. Tous, nous profitons de son héritage, mais le préfet Poubelle s'est effacé, discret comme la plupart des fonctionnaires héroïques.

Dans l'annuaire téléphonique de Paris de l'an dernier, on ne trouve plus mention que d'un seul citoyen Poubelle, Olivier, habitant rue des Dames, dans le XVIIe arrondissement. J'aimerais beaucoup le rencontrer. Peut-être est-ce un dangereux anarchiste. Ou un ermite paisible vivant enfermé dans son appartement et qui ne descend jamais ses déchets à la rue. Il paraît qu'il a un cousin au Canada, le professeur Poubelle, membre de la faculté de médecine. On l'imagine enseignant la pathologie.

SERGE BOUCHARD

Plus une société s'emmerde et plus elle doit se ramasser. C'est une loi physique qui frappe particulièrement les sociétés postobèses : pour s'enrichir, elles n'ont d'autre moyen que d'engraisser. Où l'on voit que la civilisation est en quelque sorte le malpropre de l'homme. Autrement, comment en serions-nous rendus à consacrer tant d'énergie à disposer de celle que nous ne cessons de gaspiller? Cela se sent sur les bords des trottoirs, les soirs où chacun sort ses propres vidanges. Notre prospérité se trouve dans nos pots cassés. Le domestique et le commercial rejoignent l'industriel avant de s'agglomérer au dépotoir des affaires consommées.

Le fleuve est un égout, l'air une échappatoire. Les sites d'enfouissement prolifèrent et se louent de plus en plus cher. Les valeurs sont à la hausse à la bourse du sanitaire. Les rats se tordent de rire, eux qui n'ont jamais levé la moustache sur nos déchets et qui voient tous les jours leur empire s'agrandir. Les goélands picossent nos restants et nos souvenirs; c'est le premier oiseau qu'on aura vu sourire. Ces nettoyeurs vivent dans l'univers de notre richesse renversée, ils évoluent dans la suite du *party*, sur la face cachée d'un monde qui se prétend plus propre qu'il ne l'est. Car après la fête, l'artifice, les surplus et les rejets se multiplient et s'éparpillent sur la surface de nos planchers.

L'éboueur sait combien les paniers se comptent par milliers de milliers, que les poubelles se remplissent aussitôt vidées, que le contenu de chacune d'elles rejoint le contenu d'une autre en direction d'un tas central qui ne cesse d'augmenter. Derrière les camions bruyants et alourdis, les hommes courent, ramassant à la source ce qui doit être ramassé, c'est-à-dire nos ordures à la pièce, disposées en monticules et en rangées à l'avant de chacune de nos portes, où nous faisons religieusement nos petits tas. Chaque poubelle est une manière d'énoncé, une sorte de signature. Il faut se mettre un masque pour en faire la lecture.

Deux fois par semaine, les camions font leur remarquable procession, effaçant de nos rues les retombées de nos plaisirs. Dans les entrailles hermétiquement fermées de ces camions graisseux fermente une synthèse d'une richesse insoupçonnée. Imaginez la compression de nos restants. Dans ces boîtes d'un métal aussi épais que bosselé, l'œuf se mélange à la peinture et la vitre au papier; fusion primale, cœur, noyau, réactions métamorphiques et organiques qui nous ramènent à l'origine même des choses, pour ne pas dire de la matière, comme quoi nos points de départ sont aussi nos points d'arrivée. Oui, imaginez l'intérieur de ces compacteurs; il y fait chaud jusqu'en hiver et la place n'est même pas chauffée.

Il leur suffit d'engouffrer à la volée des tonnes de débris afin de les acheminer en vitesse vers ces immenses fosses communes où des béliers mécaniques se chargeront de remblayer ce que le monde ne veut plus voir. Cela se fait de nuit, cela se fait le soir. Car ce sont des devoirs assez pauvres sous le rapport de la cérémonie. Il n'y a jamais foule aux dépotoirs de notre oubli.

En somme, côté progrès, nous avons l'habitude de notre dispersion, comme si notre progression se mesurait comme on mesure une ascension. Il nous faut jeter tant de choses du fait que dans nos mains rien ne dure et tout passe. Voilà peut-être la manière que nous avons trouvée de soutirer de notre notoire lourdeur une illusion de légèreté, comme s'il fallait de plus en plus nous délester. Mais à partir du fond, la question se pose : à quel niveau de merde allons-nous plafonner ?

BERNARD ARCAND

Il faut se rendre à l'évidence : les peuples nomades, dans tous leurs déplacements, ne se sont jamais encombrés en traînant avec eux des poubelles. Les nomades ne transportent pas leurs ordures. Plus simplement, ils les jettent. Et quand un site devient trop malpropre, il leur suffit de se déplacer. Leur exemple aide à comprendre à quel point la politique de gestion des déchets, c'est-à-dire la question simple et apparemment banale qui consiste à trouver une façon de s'en débarrasser, constitue une préoccupation qui ne concerne, typiquement, que les sédentaires. Car c'est au moment où des gens s'installent en un lieu précis pour vivre en permanence sur un espace bien défini qu'il leur faut, tout de suite, trouver le moyen d'en sortir les ordures. C'est alors qu'il devient essentiel et urgent de pouvoir diriger ailleurs tous les déchets, et ainsi éviter le risque d'être vite ensevelis.

Il semble que les toutes premières villes de notre histoire et même les grandes cités antiques ont d'abord choisi de laisser la nature suivre ce qui semblait être son cours. Le poète Homère mentionne que les chiens errants et les oiseaux assuraient la majeure partie du nettoyage des rues de la ville.

Il paraît que c'était suffisant, et que la nature savait ce qu'elle faisait. Ce n'est que longtemps plus tard que furent inventés les premiers récipients à ordures, la collecte organisée et collective des déchets, et le métier d'éboueur. Car la question ou, si l'on préfère, le problème ne deviendra sérieux qu'au moment de l'augmentation importante de la population, mais aussi quand se modifiera radicalement la nature des ordures rejetées et que les déchets, qui avaient toujours été puants et désagréables, deviendront soudain carrément dangereux... La question sera alors si pressante que certains modernes se surprennent à rêver que l'on puisse envoyer nos ordures dans ce qu'on appelle justement l'espace, c'est-à-dire vers le plus lointain et le moins limité des ailleurs d'ici. Par contre, d'autres prophètes, sans doute plus raisonnables, rêvent au contraire du jour où nos déchets disparaîtront parce qu'ils seront enfin parfaitement recyclés et qu'ils nous reviendront perpétuellement réincarnés sous d'autres formes ; en somme, le rêve d'un monde meilleur qui respecterait le caractère cyclique de la vie et dans lequel, de fait, plus rien ne serait véritablement un déchet.

Or, pendant que les techniciens sensibles à la protection de l'environnement travaillent à la fabrication de ce monde recyclable, il peut paraître étonnant de constater qu'une telle solution existe déjà et qu'elle obtient des résultats notoires dans l'un des endroits du monde où l'on s'y attendrait le moins. La ville du Caire est devenue depuis quelques années une *megapolis* moderne de plus de 15 millions d'habitants dont la croissance semble totalement hors de contrôle et dont les infrastructures urbaines, construites en gros pour une population de 3 ou 4 millions, donne l'impression d'une ville qui serait déjà en train de sombrer dans l'abîme. Alors que les touristes ont généralement l'impression qu'il y a beaucoup d'habitants à New York, avec une densité de population de 10 000 personnes par kilomètre carré, on peut trouver dans certains quartiers du Caire plus de 90 000 personnes par kilomètre carré. Mais le plus étonnant (quoique pas encore le plus incroyable) tient au fait que l'administration municipale n'a jamais organisé de véritable service de collecte des déchets : les autorités responsables de la ville se satisfont d'indiquer vaguement quelques coins de rues où les gens peuvent déposer leurs déchets domestiques, lesquels doivent ensuite (en principe) être ramassés par des employés de la ville. Mais les mauvaises langues racontent que ce service embryonnaire fonctionne plutôt mal.

Par contre, la ville n'est pas encore morte ensevelie sous les déchets et la collecte au porte-à-porte des ordures domestiques fonctionne bien. Cette collecte est assurée par des entrepreneurs privés qui opèrent sur une base ethnique et religieuse. D'abord, les membres d'un groupe ethnique particulier et de religion musulmane achètent aux propriétaires des immeubles de la ville le droit de venir chez eux ramasser les ordures, et font ensuite payer les locataires pour ce service. Mais les musulmans ne sont que des intermédiaires, ils ne ramassent pas les ordures, ce travail étant bénéfice de tout ce qu'ils peuvent extraire des ordures de la ville. Ces chrétiens, appelés Zabalin, forment une communauté de quelques dizaines de milliers de personnes qui habitent de façon permanente dans un bidonville situé en plein centre d'une très haute montagne de détritus urbains. Au cœur du dépotoir grandiose du Caire, ces gens travaillent parmi les déchets de façon à récupérer le papier, les chiffons qui serviront à fabriquer des couvertures, les boîtes de conserve qui seront reformées en casseroles, les os qui seront utilisés dans la fabrication des peintures ou des colles, les piles usées qui seront défaites pour en extraire les crayons de graphite tandis que leurs enveloppes de zinc seront fondues en lingots, et ainsi de suite. Les Zabalin, fignolant les détails, arrivent à récupérer le maximum, et tout ce qui est ainsi économisé est renvoyé à la ville pour y être vendu. Par surcroît, comme ces gens sont des chrétiens, ils font aussi l'élevage du porc, animal relativement docile et productif, qui leur sert à la fois de nourriture, de recycleur des ordures végétales et de producteur d'un fumier qui sera vendu aux agriculteurs de la région.

Il n'y a pas de morale à cette histoire exemplaire. Les Zabalin demeurent des exploités qui vivent dans des conditions approchant sans doute l'ultime limite de l'insalubrité. Mais il n'en reste pas moins que grâce à leur travail de recyclage, la ville du Caire fonctionne et peut même se vanter, malgré les apparences, d'être remarquablement efficace dans le recyclage de ses ordures. D'autres en arriveraient à craindre qu'il ne nous faille attendre encore des années et consacrer des milliards en investissements sanitaires de toutes sortes avant de voir le jour où la technologie moderne réussira à atteindre les grands succès de la misère humaine qui se démerde.

SERGE BOUCHARD

« Sortir les vidanges » est une expression sur laquelle nous pourrions nous étendre longuement. Retenons toutefois une dimension, une seule, qui se rapporte à la joie. Dans toutes les discussions en cours sur le problème insoluble que représente la gestion des ordures, il n'est jamais question du plaisir de sortir ses vidanges, de la joie de les voir « au chemin », sur les bords du trottoir. Et cette joie, que l'on réprime, que l'on occulte, est en réalité très intime et très difficile à communiquer. On ne dit pas à son voisin : « vous avez de bien belles vidanges ce soir », mais on le pense néanmoins. On voudrait le lui dire mais, en général, on garde cela en dedans de soi. Car déjà, s'emballer pour ses propres déchets n'est pas de très bon ton.

Cette joie s'alimente à toutes les sources. Il y a entre la fête et les déchets un lien évident. La bombance multiplie les détritus. La prospérité d'une société se mesure à sa capacité à gaspiller, à jeter sans remords ses choux très gras. L'orgueilleux est toujours désintéressé, il jettera du bon bien, juste pour vous montrer sa richesse et sa liberté.

Vieux truc, en vérité. La meilleure façon d'être à l'ordre, c'est de tout jeter à la rue, de ne rien garder, de se débarrasser de tout ce qui encombre. Il y a une joie certaine dans cette activité : le tournoi des poubelles. C'est le monde du grand ménage, de l'ordre et de la pureté. C'est aussi celui où l'on montre sa richesse. Par l'intermédiaire de ses propres déchets, l'individu expose au monde l'intérieur du sien propre, une intimité qu'il renouvelle chaque semaine. C'est la roue de la consommation, la preuve de la festivité continuelle.

Mettre son passé à la rue, voilà qui attire les curieux. Montrer aux autres que l'on mange bien, voilà l'orgueil de l'orgueilleux. Les montagnes de déchets sont la preuve que la société carbure et évolue.

Sortir les vidanges, c'est sortir notre ennui, sortir le méchant, c'est la preuve que l'on vit et que tout va pour le mieux. Les éboueurs sont réguliers comme les horloges. Et si l'horaire des camions de vidanges en venait à ne plus être respecté, il y aurait là un signe annonciateur d'un très grand trouble dans notre société.

BERNARD ARCAND

Il n'est pas toujours facile de savoir que mettre à la poubelle. Il faut chaque fois trancher, savoir classer le superflu et l'inutile, être capable de déterminer rapidement ce qui ne servira plus et ce qui ne peut être brûlé ni envoyé au compostage, savoir retenir ce qui peut être transformé en torchon, ou être donné aux pauvres, car si l'on consigne à la poubelle les ordures, les déchets, détritus et débris, il faut bien admettre que, en pratique, chacun de ces termes demeure souvent assez flou et parfois incertain. Il faut reconnaître ici que les guides précis font défaut, que l'usure n'est presque toujours que relative et que les dates d'expiration demeurent à ce jour l'un des plus profonds mystères de la vie moderne. Il arrive même que les objets qu'il nous faut classer soient neufs : quand l'enfant qui reçoit un cadeau s'amuse davantage avec la boîte d'emballage qu'avec son jouet, où est le déchet ?

Il importe de réfléchir à ces questions parce que le déchet reste par définition ce qui doit être exclu et rejeté. Il nous faut le sortir de notre vie pour le brûler ou l'enfouir le plus loin possible, idéalement en enfer.

Or il n'y a pas que les rognures de bois ou les pots cassés qui soient mis à la poubelle. La plupart des enfants ont rêvé un jour de mettre leurs parents à la poubelle. Même les adultes utilisent ces termes pour parler du vrai monde. Il devient donc essentiel de s'assurer que l'on sait reconnaître le moment précis où quelqu'un devient un vieux débris, où un étranger se comporte comme une ordure, où le langage devient ordurier, et la limite exacte qu'un individu ou un groupe doit nécessairement dépasser pour mériter d'être rangé parmi les rebuts de la société. Or, ici encore, les choix sont fragiles et les décisions délicates, car nous savons tous fort bien que des parias qui avaient été rejetés parmi les déchets de l'humanité, dans la grande poubelle de l'histoire, ont souvent été récupérés plus tard, sauvés et recyclés par de nouvelles générations d'historiens.

Ainsi donc, la déchéance serait relative et la poubelle, l'un des meilleurs instruments de mesure des valeurs du moment. Car l'histoire des détritus demeure mouvante. On s'en rend compte chaque fois qu'un espion habile ou un journaliste audacieux fouille la poubelle de quelqu'un de connu dans l'espoir de démasquer les fausses consciences et de découvrir le vrai visage de son usager. Bref, les déchets et les fonds de poubelles seraient de véritables miroirs de l'âme.

SERGE BOUCHARD

Entre 1980 et 1985, il y eut parmi les ours du Québec une vague de mauvaise humeur et d'agressivité qui fut aussi remarquable que soudaine. Fait rarissime, devenu pourtant fréquent durant ces années-là, les ours firent des victimes parmi les êtres humains. Un jeune homme fut tué dans la région du lac Rolland dans le parc de La Vérendrye, d'autres personnes furent grièvement blessées au Saguenay et en Gaspésie.

Les ours belliqueux et révoltés parcouraient les grands bois dans l'intention de mal faire. Il s'agissait là d'un comportement collectif tout à fait exceptionnel, si l'on considère que l'ours baribal, l'ours noir commun, est un animal habituellement timide et réservé qui se soucie très peu de la fréquentation des êtres humains. Alors que le grizzly est toujours féroce, que l'ours polaire est toujours dangereux, l'ours noir, lui, préfère la paix et la tranquillité. Devant l'homme, il fuit. Il ne mélange jamais les genres. Comment donc expliquer une telle vague de violence chez des animaux qui ne sont pas violents d'ordinaire?

C'est qu'en 1980, le gouvernement avait décrété la fermeture définitive de tous les dépotoirs sauvages, les dépotoirs à ciel ouvert que l'on cachait à l'orée de tous les bois. Or, cette politique nouvelle ne fut pas expliquée aux ours du Québec. Sans que personne le sache, de nombreux ours noirs dépendaient alors entièrement des dépotoirs pour se nourrir. Et la fermeture soudaine de ces nombreuses clairières de déchets plongeait les ours dans une situation désespérée.

Habiles à décortiquer des conserves, à trier et à récupérer, ces ours ne savaient plus chasser. Ils ne savaient même plus comment s'orienter, tant leur petit monde se résumait à la distribution géographique des décharges régionales.

C'est ainsi que, pendant quelques années, une population d'ours désorientés, incompétents, revendicateurs et amers, terrorisa des régions entières, à la recherche de vidanges, essayant de recréer un passé dont ils ne pouvaient pas savoir qu'il était pour toujours révolu.

La fermeture des dépotoirs a coûté la vie à quelques personnes. Voilà des répercussions lourdes. Quant aux ours, ils ont mis des années à s'en remettre, c'est-à-dire à se remettre en condition normale d'ours autonomes, et à redevenir des ours tranquilles. Ils se souviennent certainement qu'aux temps jadis, il y avait dans les bois des espaces bénis et des clairières que l'on pouvait facilement qualifier de petits paradis.

Comme quoi il est très malaisé de prévoir toutes les conséquences de nos projets. Ici, il eût fallu parler aux ours, les réunir et les former, les sensibiliser aux grandes vertus de la nature. Mais personne, à l'époque, n'avait décelé le penchant des ours pour nos tas d'ordures, à l'exception des gens qui eux-mêmes vont et viennent dans nos bois.

Mais les sondages et les journalistes se soucient peu des hommes qui ont vu les hommes qui ont vu l'ours se nourrir de nos restes.

BERNARD ARCAND

La transformation récente de la poubelle en bac roulant uniforme qui se charge latéralement sur un camion représente une véritable bénédiction pour les éboueurs. Désormais, le contenant est le même à chaque porte et son poids n'a plus d'importance puisque le chargement est mécanisé ; il n'y a donc plus de raisons de s'inquiéter des mauvaises surprises que provoquaient des charges trop lourdes, des déchets trop toxiques, des cendres trop chaudes ou des produits trop gluants. Par contraste, souvenez-vous du cauchemar traditionnel de l'éboueur urbain : un parcours quotidien de 25 kilomètres, l'hiver, dans des rues glissantes, pour ramasser des ordures déposées dans une série de petits sacs en plastique qui devaient être portés à bout de bras parce que les automobilistes stationnés laissent toujours trop peu d'espace entre les pare-chocs, tout cela dans le froid et dans des rues où la circulation devient chaque jour plus dense, dangereuse et rapide.

La poubelle sous forme de bac roulant représente une amélioration indéniable. Et si l'on ajoute les nouvelles techniques du recyclage moderne et les stratégies de gestion améliorée des déchets, on en arrive vite à se convaincre que c'est justement là qu'il faudrait chercher les exemples des progrès les plus brillants et notoires de la civilisation. D'où l'on pourrait conclure que le monde moderne n'est nulle part plus à l'aise que dans la manipulation des ordures.

SERGE BOUCHARD

C'est à l'université que l'on devrait étudier les ordures. Car le monde des ordures est le sujet par excellence pour exercer la pensée des futurs décideurs. C'est le sujet qui englobe tous les autres, le noyau d'une théorie unitaire potentiellement explicative de bien des choses dans l'univers.

L'archéologie, l'économie, la médecine, la chimie, la physique, la sociologie, les sciences politiques, la criminologie, la biologie, l'hydrologie, la géologie, et j'en passe, seraient toutes des disciplines réunies dans la problématique doctorale des ordures.

C'est un peu comme si toute l'histoire du monde et de

la nature se retrouvait au dépotoir. Les vieilles machines, les anciens plastiques, l'évolution des bouteilles, les journaux d'autrefois (qui se conservent apparemment très bien), les qualités du biogaz concentré, les mœurs des rats de Norvège, des goélands à bec cerclé, des renards urbains, des ratons en voie d'urbanisation, la corruption dans les ordures, l'aménagement des écrans de fumée, la mathématique des chiffres inventés, la poésie du lixiviat, le commerce international des déchets toxiques, le danger des déchets dangereux, la sociologie des déchetteries de quartier, le travail des éboueurs, la religion du compost, la symbolique du sac vert, l'hygiène publique, le partage des coûts, la localisation des trous, la décomposition des sols, les dangers d'explosion, les grandeurs et les misères de l'incinération, dites-moi s'il n'y a pas là de quoi faire un magnifique programme d'études supérieures ?

TABLE

Collection «Papiers collés»
dirigée par François Ricard

Jacques Allard, *Traverses*
Rolande Allard-Lacerte, *La Chanson de Rolande*
B. Arcand et S. Bouchard, *Quinze Lieux communs*
Gilles Archambault, *Chroniques matinales*
Gilles Archambault, *Nouvelles Chroniques matinales*
Gilles Archambault, *Les Plaisirs de la mélancolie* (nouvelle édition)
Gilles Archambault, *Le Regard oblique*
André Belleau, *Notre Rabelais*
André Belleau, *Surprendre les voix*
Yvon Bernier, *En mémoire d'une souveraine: Marguerite Yourcenar*
Lise Bissonnette, *La Passion du présent*
S. Bouchard et B. Arcand, *De nouveaux lieux communs*
Jacques Brault, *Chemin faisant* (nouvelle édition)
Jacques Brault, *Ô saisons, ô châteaux*
Jacques Brault, *La Poussière du chemin*
André Brochu, *La Visée critique*
Fernand Dumont, *Raisons communes*
Jean-Pierre Duquette, *L'Espace du regard*
Lysiane Gagnon, *Chroniques politiques*
Jacques Godbout, *L'Écran du bonheur*
Jacques Godbout, *Le Murmure marchand*
Jacques Godbout, *Le Réformiste* (nouvelle édition)
Judith Jasmin, *Défense de la liberté*
Jean-Paul L'Allier, *Les années qui viennent*

Jean Larose, *L'Amour du pauvre*
Jean Larose, *La Petite Noirceur*
Jean-François Lisée, *Carrefours Amérique*
Catherine Lord, *Réalités de femmes*
Gilles Marcotte, *L'Amateur de musique*
Pierre Nepveu, *L'Écologie du réel*
François Ricard, *La Littérature contre elle-même*
Yvon Rivard, *Le Bout cassé de tous les chemins*
Pierre Vadeboncoeur, *Essais inactuels*

Mise en pages et typographie :
Les Éditions du Boréal

Achevé d'imprimer en octobre 1995 sur les presses
de l'imprimerie AGMV inc., à Cap-Saint-Ignace, Québec.